12 WAŻNYCH OPOWIEŚCI

POLSCY AUTORZY O WARTOŚCIACH

ilustracje Elżbieta Kidacka

Redakcja – Agata Mikołajczak-Bąk
Korekta – Eleonora Mierzyńska-Iwanowska
Opracowanie komputerowe wnętrza i okładki – Michał Pańczak, Hanna Polkowska

ISBN 978-83-245-2343-6

jest znakiem towarowym Publicat S.A.

Publicat S.A.
61-003 Poznań, ul. Chlebowa 24
tel. 61 652 92 52, fax 61 652 92 00
e-mail: ced@publicat.pl
www.publicat.pl

Wstęp

Dzieci lubią: akcję (żeby się dużo działo), humor (żeby można się było pośmiać) i wyrazistych bohaterów (żeby można było ich ocenić i się z nimi utożsamić).

Dorośli chcą, by książka była: pouczająca (ale nie za bardzo), znakomita literacko (ale koniecznie z zabawnymi momentami) i „odpowiednia" dla dziecka (ale nie na tyle „odpowiednia", żeby dziecko się nią znudziło).

Dwunastu autorów napisało 12 opowiadań, które zawierają wszystko to, co lubią dzieci, i wszystko to, czego oczekują dorośli.

A opowiadania dotyczą naprawdę istotnych spraw – wartości, o których nie jest łatwo rozmawiać z dziećmi ani rodzicom, ani nauczycielom. Bo jak między zabawą, odrabianiem lekcji, grą komputerową i całą masą innych Bardzo Ważnych Zajęć „wcisnąć się" z mądrym, współczesnym przekazem o tym, co w życiu istotne? Jak opowiedzieć o przyjaźni, uczciwości, sprawiedliwości, a nawet o… samodyscyplinie?

Oto książka, która pomoże: rodzicom – w codziennych sytuacjach odpowiadać na dociekliwe dziecięce pytania, nauczycielom – prowadzić ciekawe zajęcia wychowawcze, a dzieciom – …miejmy nadzieję, że dzieciom ta książka się po prostu spodoba.

Anna Onichimowska

SZCZĘŚCIE, czyli O TYM, JAK DOBRZE MIEĆ BLISKICH

Rozmawialiśmy sobie dzisiaj na polskim o naszych najszczęśliwszych chwilach w życiu. Jacek powiedział, że to było wtedy, kiedy dostał komputer, Zosia – kiedy jej tatuś wrócił z pracy w Anglii, Kinga – kiedy po raz pierwszy pojechała nad morze, a Kuba – kiedy udało mu się nauczyć jeździć na rowerze. Wszyscy się przekrzykiwali, a ja tylko słuchałam, bo czasem wcale nie jest łatwo opowiedzieć o czymś głośno. Dopiero gdy pani poprosiła nas, żebyśmy to opisali, cała historia przypomniała mi się tak dokładnie, jakbym oglądała film. Nie o jakichś wymyślonych bohaterach, ale o mnie i o mojej rodzinie.

Bywają takie dni, które pamięta się do końca życia. To był na pewno wtorek. Wróciłam właśnie z plastyki i postawiłam na stole kuchennym Niebieskiego Człowieka z modeliny. Wszyscy byli już w domu, nawet tatuś.

– Zobaczcie! – Chciałam zwrócić uwagę na swoje dzieło, ale tylko Fifek podskakiwał, próbując dokładnie je obejrzeć. Szczekał, jak na obcego, ale w końcu Niebieski był Obcym.

– Spokój! Przestań! – Tatuś ofuknął Fifka, a ten obrażony popatrzył na nas spod nastroszonej grzywki, odwrócił się i wybiegł z kuchni.

– Pani powiedziała, że jest świetny – chwaliłam się, klękając na krześle, naprzeciwko Obcego. – Nie wiem tylko, jak powinien się nazywać. Mamo?

Odwróciłam się w jej stronę. Sprawiała wrażenie, jakby w ogóle mnie nie słyszała. Nawet nie popatrzyła na Niebieskiego!

Tato smażył kotlety, a ona siedziała na fotelu, z podkulonymi nogami, trzymając w garści kubek z herbatą.

Zrobiło mi się przykro. Zabrałam Obcego i poszliśmy do mojego pokoju. Zaraz dołączył do nas Fifek. Wciąż zerkał nieufnie i powarkiwał na nowego lokatora z modeliny.

– Będziesz miał na imię Chaber. Pan Chaber – sprostowałam, bo Obcy wyglądał na dość starego.

Ledwie nadałam mu imię, a może nazwisko, trudno powiedzieć, w drzwiach mojego pokoju stanęli rodzice.

– Puk, puk. – Mama się uśmiechnęła. – Możemy wejść?

Mruknęłam coś, co można było od biedy uznać za zgodę.

Rodzice usiedli na tapczanie, a ja od razu poczułam, że chcą mi powiedzieć coś ważnego.

– Mamy dla ciebie niespodziankę, Bączku... – zaczął tatuś i spojrzał na mamusię.

– Nasza rodzina się powiększy – powiedziała po chwili mama.

– Już się powiększyła – zażartowałam. – O Pana Chabra. – Wskazałam na Niebieskiego.

– To ufoludek? – spytał uprzejmie tatuś.

– Nie rozmawiaj ze mną jak z dzieckiem – oburzyłam się. – Mam już osiem lat! To po prostu niebieski facet. Gra na giełdzie i lubi lody waniliowe.

Zwykle rodzice uwielbiali, jak wymyślałam różne historie. Sami często też wtrącali do nich to i owo, i powstawała cała opowieść. Tym razem jednak najwyraźniej w ogóle nie mieli na to ochoty. Westchnęłam zrezygnowana.

– Naprawdę nie jesteś ciekawa, co mamy ci do powiedzenia? – Mamusia wydawała się jeszcze bardziej rozczarowana niż ja i poczułam się głupio.

Pomyślałam, że pewnie babcia przeprowadzi się do nas na stałe, bo już kilka razy o tym rozmawialiśmy. Zanim jednak cokolwiek powiedziałam, mama znacząco pogłaskała się po brzuchu, a po chwili wskazała na niego palcem.

Brzuch mamy zakrywała luźna tunika. Wiem, jak wyglądają panie w ciąży, ale mama na razie ich nie przypominała.

– No co, nie cieszysz się? – zdziwił się tato. – Przecież chciałaś mieć rodzeństwo.

Od dawna suszyłam rodzicom głowę w tej sprawie, ale odkąd po jednej z takich rozmów dostałam Fifka, pogodziłam się z losem jedynaczki.

– Naprawdę?! – Podbiegłam do mamusi i chciałam z impetem wskoczyć jej na kolana, ale tato mnie powstrzymał.

– Musimy teraz obchodzić się z mamą jak z jajkiem. Żeby skorupka za wcześnie nie pękła, rozumiesz?

Wyobraziłam sobie małego człowieka, który jak kurczak siedzi w jajku i delikatnie dotknęłam miejsca, gdzie mieszkał sobie mój brat. A może siostra? Nagle przypomniałam sobie, jak moja koleżanka Zuzia cieszyła się z siostry, a potem ciągle na nią narzekała. Że nie daje jej spać, bo płacze po nocach, i że od kiedy pojawiła się na świecie, ona, Zuzia, poszła w kąt. Tak właśnie mi powiedziała: „poszłam w kąt". Postanowiłam od razu ustalić pewne sprawy z rodzicami, żeby nie było nieporozumień.

– Kiedy to będzie? – spytałam, a gdy się okazało, że za pół roku, odetchnęłam z ulgą. Miałam jeszcze dużo czasu, żeby poukładać wszystko po mojej myśli. – Pozwolicie mi go nazwać?

– Weźmiemy twoje zdanie pod uwagę – odpowiedział dyplomatycznie tatuś, a potem poszliśmy zjeść obiad.

– Dziewczynka Klara, a chłopiec Felek – ogłosiłam podczas deseru.

– Ładnie – pokiwała głową mama.

– Niczego sobie – przyznał tatuś.

– Zgadzacie się?! – Z emocji aż upuściłam truskawkę.

– Trzeba jeszcze to przegadać, ale raczej tak. – Tato nigdy nie rzucał słów na wiatr, więc była duża szansa, że moja propozycja przejdzie.

Miałam ochotę od razu pobiec na podwórko i pochwalić się nowiną, ale mamusia mnie powstrzymała.

– Lepiej nie zapeszać. Mam nadzieję, że wszystko będzie dobrze, ale jeszcze nic nie wiadomo.

– Musimy być teraz dla mamy jeszcze lepsi niż zwykle. – Tato puścił do mnie oko. – Przede wszystkim nie wolno jej denerwować…

Przestraszyłam się. Nie wiedziałam, o co dokładnie chodzi, ale wolałam nie pytać. Myśl, że coś mogłoby się stać Klarze lub Felkowi, zanim w ogóle ich zobaczyłam, była okropna. „Mogę już iść w kąt, byle było dobrze" – przemknęło mi przez głowę. Nagle zachciało mi się płakać, zupełnie jakby już wydarzyło się coś złego. Nie chciałam, żeby rodzice to zauważyli, więc korzystając z chwili, kiedy mama odbierała telefon, wycofałam się do swojego pokoju.

– Nic nie wiadomo… – powiedziałam, trochę do siebie, a trochę do Pana Chabra. – Ale właściwie dlaczego? Co może być źle i z czym?

Pan Chaber milczał, wytrzeszczając na mnie oczy z modeliny.

„Trochę jesteś głupi" – pomyślałem z żalem.

– Na pewno głupszy ode mnie – szczeknął Fifek, a potem wskoczył mi na kolana i przejechał językiem po nosie. – Nie martw się na zapas… – zdawały się mówić jego ślepia. – Wiesz, że zawsze możesz na mnie liczyć.

– Wiem… – Przytuliłam go do siebie i szepnęłam do spiczastego ucha: – Powinniśmy uważać na mamusię, rozumiesz? Nie wolno jej denerwować ani skakać jej po brzuchu, ani… – Zdałam sobie sprawę, że muszę o wszystko dokładnie wypytać tatę. Co możemy robić, a czego w żadnym wypadku nie.

Tej nocy długo nie mogłam zasnąć, a kiedy wreszcie mi się to udało, przyśniło mi się, że znalazłam się nad jakąś wodą. Rozglądałam się dookoła i zobaczyłam kobietę stojącą na łodzi. Była ubrana w długą, niebieską sukienkę, która łopotała na wietrze. „To chyba mamusia" – pomyślałam, a obok mnie

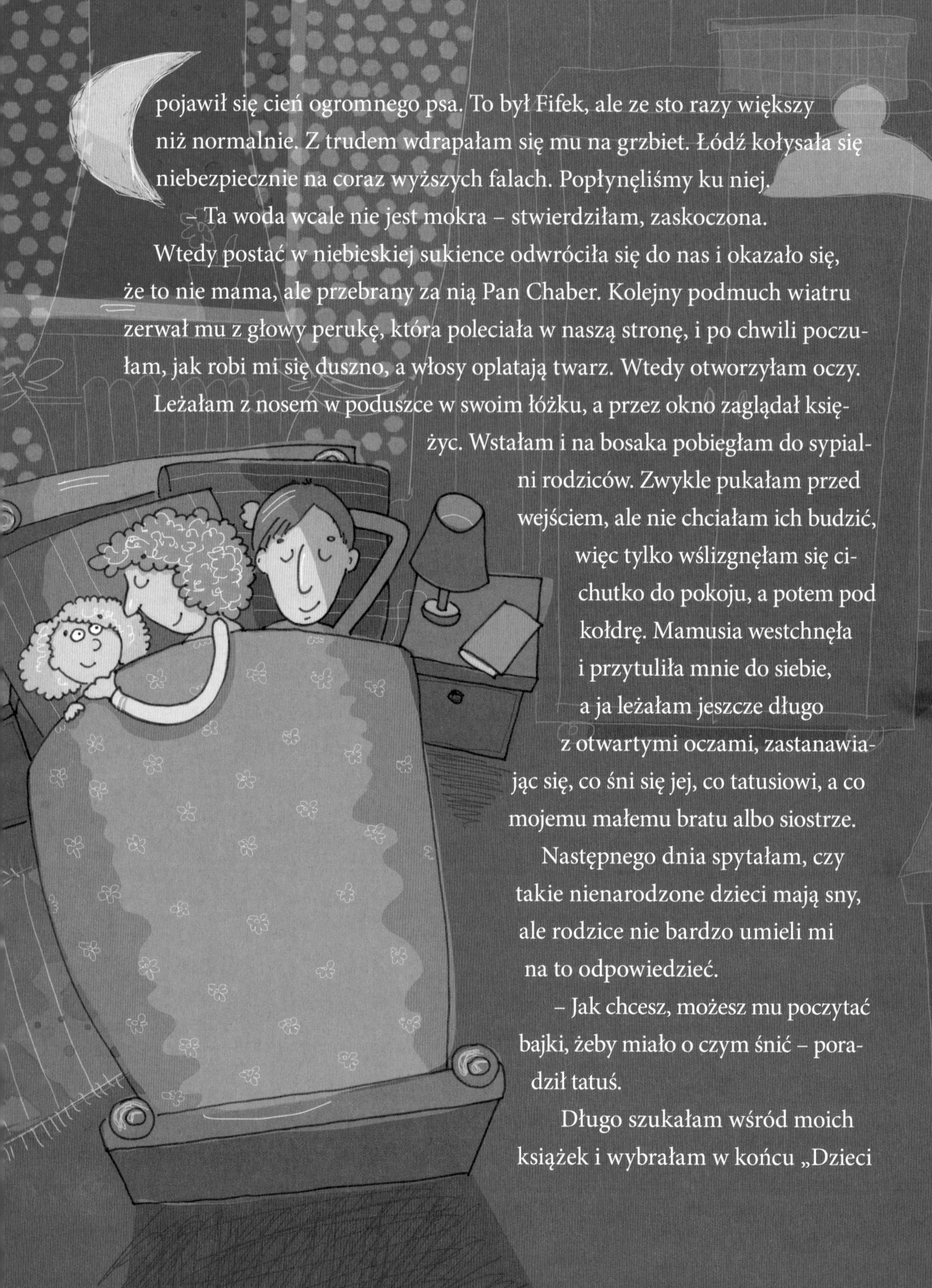

pojawił się cień ogromnego psa. To był Fifek, ale ze sto razy większy niż normalnie. Z trudem wdrapałam się mu na grzbiet. Łódź kołysała się niebezpiecznie na coraz wyższych falach. Popłynęliśmy ku niej.

– Ta woda wcale nie jest mokra – stwierdziłam, zaskoczona.

Wtedy postać w niebieskiej sukience odwróciła się do nas i okazało się, że to nie mama, ale przebrany za nią Pan Chaber. Kolejny podmuch wiatru zerwał mu z głowy perukę, która poleciała w naszą stronę, i po chwili poczułam, jak robi mi się duszno, a włosy oplatają twarz. Wtedy otworzyłam oczy.

Leżałam z nosem w poduszce w swoim łóżku, a przez okno zaglądał księżyc. Wstałam i na bosaka pobiegłam do sypialni rodziców. Zwykle pukałam przed wejściem, ale nie chciałam ich budzić, więc tylko wślizgnęłam się cichutko do pokoju, a potem pod kołdrę. Mamusia westchnęła i przytuliła mnie do siebie, a ja leżałam jeszcze długo z otwartymi oczami, zastanawiając się, co śni się jej, co tatusiowi, a co mojemu małemu bratu albo siostrze.

Następnego dnia spytałam, czy takie nienarodzone dzieci mają sny, ale rodzice nie bardzo umieli mi na to odpowiedzieć.

– Jak chcesz, możesz mu poczytać bajki, żeby miało o czym śnić – poradził tatuś.

Długo szukałam wśród moich książek i wybrałam w końcu „Dzieci z Bullerbyn". Byłam pewna, że będzie ciekawa, również dla mamusi. Poza tym miała wystarczająco dużo stron, żeby ją czytać po kawałku, każdego dnia.

Mamusia była na zwolnieniu lekarskim, nie chodziła do pracy i głównie leżała na kanapie. Często bywała u nas babcia – pomagała tacie i mnie gotować. Nauczyłam się robić jajecznicę i makaron z serem, i nadziewane babeczki, i nawet ciastka z cukrem. Po obiedzie zwykle siadałam obok mamy i czytałam jej kolejny rozdział książki. I tak mijał tydzień

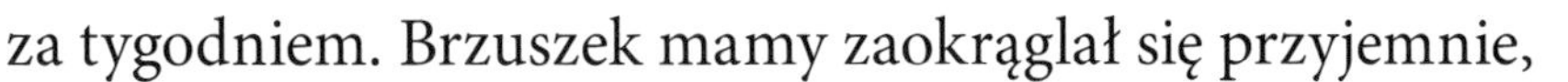

za tygodniem. Brzuszek mamy zaokrąglał się przyjemnie, a któregoś dnia – po wizycie u lekarza – powiedziała, uśmiechając się od ucha do ucha:

– Będziesz miała brata, Bączku!

Poczułam się najszczęśliwsza na świecie. Nareszcie wiedziałam, że „Dzieci z Bullerbyn" słucha malutki Felek! Zauważyłam, że daje najwięcej oznak życia – wierci się i rozpycha – kiedy czytam o Lassem i Bossem, zupełnie jakby się chciał z nimi bawić. Śmiałyśmy się z mamą, że już jest towarzyski i nie może się doczekać, żeby wyjść na świat.

Następnego dnia w szkole opowiedziałam o Felku Zosi, a ona Kindze i po chwili wszyscy już wiedzieli, że będę mieć rodzeństwo. Nawet pani.

– Pójdziesz w kąt, tak samo jak ja, zobaczysz – ostrzegała mnie Zuzia, ale wcale jej nie wierzyłam, a poza tym w kącie też można się całkiem nieźle urządzić, w towarzystwie brata.

Kolejny ważny dzień również był wtorkiem. Tym razem z zajęć plastycznych wróciłam w towarzystwie Pani Chaber – postanowiłam ulepić Niebieskiemu żonę, żeby się nie nudził. Tatuś zapowiedział, że przyjedzie z pracy tro-

chę później, bo miał jakieś ważne zebranie. Obiecałam mu rano, że będę się opiekować mamą. Na szczęście moje zajęcia odbywały się niedaleko, nie musiałam nawet przechodzić przez żadną ulicę, więc mogłam wrócić sama.

Zaraz po wejściu do domu zorientowałam się, że coś jest nie tak. Zwykle mama wstawała, żeby się ze mną przywitać, albo wołała: „Cześć, Bączku!". Jednak tym razem leżała z ręką na brzuchu i widziałam po jej oczach, że się boi.

– Źle się czujesz? – spytałam, a ona odpowiedziała tylko:

– Jakoś dziwnie…

Zostawiłam przy niej Panią Chaber i zadzwoniłam do taty.

– Jestem na zebraniu, Bączku… – rzucił do słuchawki, ale jak tylko powtórzyłam mu słowa mamy, powiedział, że za chwilę będzie.

Chwila trwała może ze dwadzieścia minut. Chciałam przeczytać mamusi i Felkowi kolejny fragment książki, ale mama poprosiła, żeby tym razem to była jakaś kołysanka.

– Pamiętasz, mówiłam ci, że on za bardzo spieszy się na świat. Trzeba go jakoś uspokoić. Jest jeszcze o miesiąc za wcześnie – stwierdziła.

Zdołałam przeczytać tylko: „Był sobie król, był sobie paź i była też królewna", kiedy do domu wpadł tatuś, a zaraz potem przybiegła babcia. Rodzice pojechali do szpitala, a ja z babcią czekałyśmy na wiadomości, we dwie, bo razem raźniej. Czekał też Fifek, wyjątkowo cichy i grzeczny, i państwo Chabrowie, których przedstawiłam sobie, i którzy sprawiali wrażenie zadowolonych ze swojego towarzystwa. Nie miałam ochoty na rozmowy, wciąż czytałam na głos coraz to nowe kołysanki, mając nadzieję, że Felek mnie słyszy. Pewnie był jednak za daleko, bo zamiast sobie pospać, tej nocy zdecydował pojawić się na świecie.

Skakaliśmy z radości – ja, babcia, Fifek i tatuś, który właśnie wrócił do domu. Mamusia nie skakała, bo ciągle jeszcze była w szpitalu, z Felkiem.

– Taki jestem szczęśliwy, Bączku! – powiedział tatuś. – Gdyby Felek ważył trochę mniej, zamknęliby go w inkubatorze, tymczasem kawał chłopa z niego! Ponad dwa kilo!

Nie mogłam się doczekać ich powrotu ze szpitala. A kiedy wreszcie zobaczyłam mojego braciszka po raz pierwszy, uznałam ten dzień za najszczęśliwszy w moim życiu. Cieszyłam się, że jednak wszystko dobrze poszło, że on i mamusia są zdrowi i że nareszcie będę wiedziała, czy to, co Felkowi czytam, naprawdę mu się podoba.

Agnieszka Frączek

UCZCIWOŚĆ, czyli ŁACIATA RADOŚĆ

Asia zawsze marzyła o psie. Od kiedy tylko pamięta! O małym, czarnym psie z białym krawacikiem. Albo o wielkim, kudłatym i całkiem białym. Albo o rudym, grubiutkim, na śmiesznie cienkich nóżkach. Albo... Zresztą wszystko jedno. Ważne, żeby merdał do niej ogonem, żeby kochał ją jak nikogo na świecie i żeby ona, Asia, mogła się do niego przytulać, głaskać go i drapać za uchem. I żeby mogła mu o wszystkim opowiadać. Na przykład o dziewczynach z klasy, o tym, że czasami jej dokuczają i że właściwie to ona wcale nie lubi chodzić do szkoły...

Ale rodzice uważali, że mieszkanie w bloku to nie jest dobre miejsce dla psa. „Tylko by się tu męczył – mówili. – Bo przecież pies musi się wyhasać, wyszaleć, wyszczekać, a czasem nawet wytarzać w błocie". „I my też byśmy się męczyli – dodawali. – Bo przecież pies by nam hasał po domu, szalał, szczekał, a czasem nawet by wpadał tu prosto po kąpieli w błocie".

Więc Asia tylko wyobrażała sobie swojego psiego przyjaciela. A to, co sobie wyobraziła, przedstawiała na obrazkach. Ostatnio najczęściej malowała psa trochę białego, trochę czarnego i trochę rudego. Spotkała niedawno takiego w parku, biegał w tę i we w tę za zieloną piłką tenisową. Kiedy spostrzegł Asię, podbiegł do niej i z rozmachem rzucił jej piłkę wprost pod nogi. Potem usiadł, śmiesznie przekręcił łepek i przez parę chwil patrzył jej w oczy. Kiedy nie zareagowała, wyraźnie zniecierpliwiony chwycił piłkę w pysk i znów, jeszcze energiczniej, pacnął nią o ziemię. Wylądowała tuż obok prawego buta dziewczynki.

– Jeśli chcesz, możesz jej rzucić piłkę – uśmiechnęła się do Asi niewysoka pani z niemowlęcym wózkiem. – Ona tylko na to czeka.

W wózku siedział bezzębny malec i nie spuszczał psa z oczu. „Ten to ma dobrze – pomyślała Asia, podnosząc piłkę. – Jeszcze nie potrafi chodzić, a już spaceruje z psem. I to z jakim psem!".

Od tej pory psy na obrazkach Asi wyglądały tak samo jak suczka z parku: były trochę białe, trochę czarne i trochę rude. Asia okleiła tymi łaciatymi portretami wszystkie ściany w swoim pokoju. I wciąż malowała nowe obrazki. Na każdym brykał pies z zieloną piłką tenisową, jednak uśmiechniętej pani z wózkiem ani bezzębnego malca nigdzie nie było. Za to na niektórych obrazkach pojawiała się dziewczynka. Rzucała psu piłkę, przypinała smycz, spacerowała z nim po parkowych alejkach, a na jednym z rysunków wracała z nim do domu. Do ich wspólnego domu!

Rodzice Asi z uwagą oglądali każdy nowy obrazek.

– Śliczne! – chwalili. – Coraz lepiej rysujesz!

– O, a to jakie świetne! Ten pies wygląda jak żywy!

– Ale nie jest żywy, jest namalowany – odpowiadała smętnie Asia i rozkładała na biurku kolejną kartkę.

W takich chwilach rodzice zerkali po sobie, a potem zwykle mówili to, co Asia słyszała już tysiące razy. Na przykład:

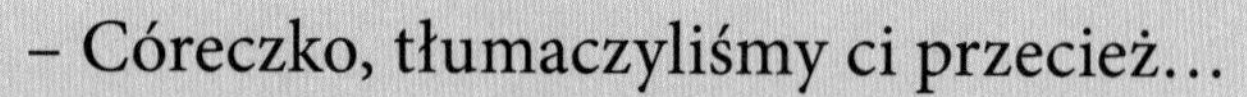

– Córeczko, tłumaczyliśmy ci przecież…

Albo:

– Asiu, rozmawialiśmy już o tym…

Lub:

– Dziecko, przecież rozumiesz, że to niemożliwe, prawda?

Asia jednak nie rozumiała…

Któregoś dnia, krótko przed Bożym Narodzeniem, rodzice usiedli pośród łaciatych obrazków i…

– Chcemy ci coś powiedzieć – zaczął tata.

Starał się, żeby zabrzmiało to całkiem zwyczajnie. Ale Asia doskonale znała swojego tatę. Natychmiast spostrzegła, że w oczach ma wesołe, łobuzerskie błyski. Takie same jak wtedy, kiedy wręcza jej prezent niespodziankę. Albo kiedy czeka na nią pod szkołą, choć przecież tego dnia miała wracać sama. Takie jak w ostatnią sobotę, kiedy obudził ją rano i poprosił: „Wyjrzyj przez okno". A tam był śnieg! Śnieg, na który Asia czekała od tygodni! Jaka niespodzianka czeka ją dzisiaj?

– Asiu – uśmiechnęła się mama – długo rozmawialiśmy o twoim marzeniu… Pomyśleliśmy, że skoro tak bardzo chcesz mieć w domu zwierzaka, to możemy się zgodzić…

– Hura! – Dziewczynka aż podskoczyła z radości. – Hura, hura!

– Asiu, poczekaj. Daj mamie dokończyć – poprosił tata.

Dokończyć? Och, ale przecież ona już wszystko wie! Przecież jest odpowiedzialna i od dawna, naprawdę od dawna rozumie, że pies to obowiązek! Mama nie musi jej tego tłumaczyć. Oczywiście, będzie z nim wychodzić na spacery! Zgoda, będzie po nim sprzątać! Tak, będzie go karmić!!! I w ogóle…

– …Możemy się zgodzić na kanarka – udało się mamie dokończyć. – Co ty na to?

– Ka… kanarka? Mamo, ale… – Asia przestała podskakiwać. Usiadła.

A potem powiedziała tylko: – Nie można się przytulić do kanarka…

I zaczęła malować kolejny psi portret.

Następnego dnia Asia wracała ze szkoły w wyjątkowo paskudnym nastroju. „Kanarek… – myślała. – Czy kanarek merda ogonem? Podaje łapę? Fakt, żaden pies nie potrafi śpiewać tak jak kanarek, ale ja przecież nie chcę mieć w domu śpiewaka. Ja chcę mieć przyjaciela".

Nagle coś przerwało jej ponure rozmyślania. Na ścieżce, dwa kroki przed nią wyrósł czarno-brązowy potarganiec. Potarganiec bez wątpienia był psem, choć mokra i obsypana białymi, topniejącymi płatkami sierść (od rana kapał deszcz ze śniegiem) bardziej upodabniała go do zmokłej kury niż do psa.

– Cześć – zagadnęła Asia nieśmiało. Na dźwięk jej głosu pies zaczął wywijać ogonem jak dziki.

– Sam jesteś? – spytała, rozglądając się dookoła. – Chyba sam… – odpowiedziała za niego. – A dasz się pogłaskać?

Merdający ogon nie pozostawiał żadnych wątpliwości: pewnie, że da!

– Fe, ależ ty jesteś mokry! – roześmiała się Asia, zanurzając dłonie w psiej sierści. Ale zaraz spoważniała: – Na pewno się tu przeziębisz. W nocy ma być mróz. Chodź, idziemy do domu! – postanowiła. A po cichu dodała: – Raz kozie śmierć.

Pies przez resztę drogi dreptał grzecznie tuż przy nodze Asi, bez wahania wsiadł za nią do windy, a potem posłusznie zatrzymał się w progu mieszkania.

– Mamo…

– Cześć, córeczko! – krzyknęła z kuchni mama. – Nie mogę do ciebie wyjść, bo mi się kotlety przypalą. Myj ręce i chodź tutaj, wstawiam krupnik.

– Ale ja nie jestem sama… Czy on też może wejść?

– Przyprowadziłaś kolegę? – odkrzyknęła mama wesoło. – Pewnie, że może! Wchodźcie śmiało! Mam cały gar krupniku.

– OK, ale pamiętaj, że pytałam – mruknęła Asia i poszła myć ręce.

Kiedy weszli do kuchni, mama powtórzyła swoje ulubione pytanie:

– Umyliście ręce?

– Ja tak, on nie – odparła Asia zgodnie z prawdą. I wtedy mama po raz pierwszy oderwała wzrok od skwierczących na patelni kotletów.

– Asiu… przecież to jest pies!

– Mhm… – potwierdziła dziewczynka.

– Córeczko, umawialiśmy się! Wiesz, że on tu nie może zostać.

– Ale, mamo, wyjrzyj przez okno…

– No tak… – Mama zerknęła w kierunku okna. – Rzeczywiście, pogoda paskudna. Dobrze, to niech zostanie na chwilę. Ale tylko na chwilę! A potem… zobaczymy. No przestań już skakać, Asiu, przestań, bo podłogę zarwiesz! – roześmiała się mama. I zaraz dodała: – Chyba trzeba go nakarmić. Myślisz, że będzie mu smakował mój krupnik?

HAU! HAU!

Pewnie, że będzie!
Zwierzak migiem wciął zupę,
a potem podziękował mamie radosnym merdnięciem ogona.

Kiedy z pracy wrócił tata, pies leżał zadowolony pod kuchennym stołem.

– Tato, tato, zobacz! – Asia przywitała go radosnym okrzykiem, z dumą wskazując na potargańca.

– To… to raczej nie jest kanarek – upewnił się tata, kucając obok zwierzaka.

– Raczej nie. – Mama pozbawiła męża złudzeń. – Wyobraź sobie, że Asia przyprowadziła do domu psa!

– Chyba sukę… – stwierdził z uśmiechem tata i pogłaskał zwierzaka po pełnym brzuchu. A pies w odpowiedzi połaskotał go ogonem w nos.

Minął tydzień, potem drugi… Wszystko wskazywało na to, że Kora – bo potarganiec miał już imię! – zamieszka w domu Asi na dłużej niż chwilę. Rodzice musieli przyznać, że wcale nie męczy ich obecność tego wesołego psa. A i on nie wyglądał na zmęczonego swoimi współmieszkańcami.

I właśnie wtedy wydarzyło się coś strasznego.

A zaczęło się od drobiazgu: któregoś ranka tacie nie odpalił samochód.

– Normalka – skomentował tata, naciągnął czapę na uszy i ruszył w stronę przystanku.

Przywykł już, że kiedy tylko temperatura spada poniżej zera, jego auto zaczyna grymasić. Przyzwyczaił się i do tego, że autobusy bywają kapryśne, a ten, który jedzie w stronę taty biura, nie wiadomo dlaczego zawsze przyjeżdża ostatni.

Aby nie zmarznąć, przestępował z nogi na nogę, a z nudów czytał ogłoszenia porozklejane na wiacie przystanku. Czytał, ale nigdy nie znalazł tam nic ciekawego.

Jednak teraz… Tej kartki jeszcze parę dni temu nie było. Tego tata był pewien! Szybko przeczytał kilka rzędów rozedrganych literek. Przeczytał je jeszcze raz i jeszcze… Był tak pochłonięty lekturą, że nawet nie zauważył, kiedy podjechał jego autobus, wypakował jednych pasażerów, zapakował drugich i odjechał z cichym syknięciem. Tata długo wpatrywał się w ogłoszenie, jakby uczył się go na pamięć. Wreszcie ostrożnie zerwał kartkę i włożył do teczki.

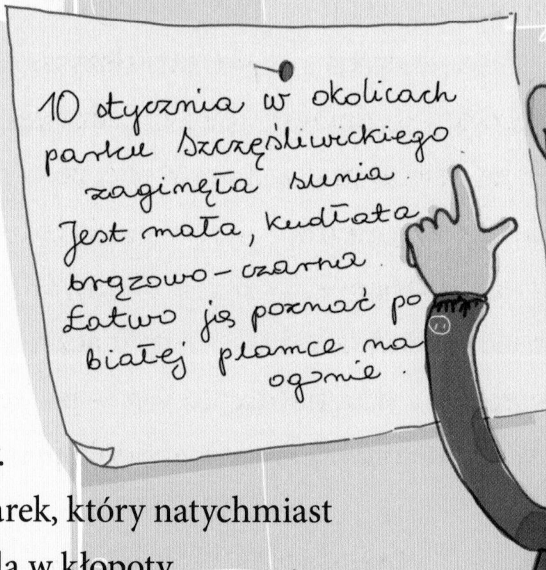

– Coś się stało? – spytała mama, kiedy tata wrócił z pracy. Bo mama ma w głowie taki radarek, który natychmiast ją alarmuje, gdy ktoś z nas wpada w kłopoty.

– Musimy porozmawiać – odparł tata, pochylając się nad szalejącą u jego stóp Korą. A potem dodał, wyjmując z teczki pomiętą kartkę: – Rano na przystanku znalazłem to. Zobaczcie.

Na końcu napisanego odręcznie ogłoszenia, większymi literami, ta sama ręka dopisała adres i numer telefonu.

– Opis się zgadza – westchnęła mama.

– Musimy ją oddać właścicielowi... – dodał tata.

– O nie! Na pewno nie! Jakiemu właścicielowi? Przecież ona jest moja! Moja!

– Asiu, zrozum. Zanim Kora trafiła do nas, miała inny dom...

– Kochanie, nam też jest smutno... Ale musimy tam zadzwonić.

– Nie! Nie dzwońmy! To na pewno jakiś żart! Na pewno!

– Asiu...

– Ale mamo, sama zobacz! To ogłoszenie jest jakieś dziwne. Dobrze wiem, jak powinno wyglądać prawdziwe ogłoszenie! Powinno być napisane na komputerze. I... i wydrukowane! I powinno być na nim zdjęcie psa. A to... to ogłoszenie na pewno jest... – jąkała się Asia – ono na pewno jest fałszywe!

– Córeczko, to ogłoszenie może rzeczywiście jest trochę nietypowe. Ale na pewno prawdziwe. Myślę, że napisała je jakaś starsza osoba. Może jest samotna? I z pewnością bardzo tęskni za psem – przekonywali rodzice. – Teraz już wiemy, że Kora należy do kogoś innego. Nie możemy udawać, że jest inaczej.

– To byłoby zwyczajnie nieuczciwe – podsumował tata.

I wtedy mama przyniosła z przedpokoju telefon.

Pani Helenka, właścicielka Kory – a raczej: Agi, bo tak się do niej zwracała – rzeczywiście była samotna. I tak jak przypuszczali rodzice, ogromnie tęskniła za swoją sunią.

– Mam malutkie mieszkanie – opowiadała, kiedy następnego ranka spotkali się z nią w parku – tylko pokój i łazienkę, ale odkąd Aga zaginęła, ciągle

mi się wydaje, że jest ono wielkie! I całkiem puste. Nie mogłam sobie miejsca w nim znaleźć! A na fotel Agi to w ogóle patrzeć nie chciałam! – wzdychała, na przemian to głaszcząc i tuląc Agę, to ściskając Asię i jej rodziców. – Tak bardzo za nią tęskniłam!

Aga chyba też tęskniła za swoją panią, bo choć z Asią i jej rodzicami codziennie witała się jak szalona, to takiego powitania, jakie zgotowała pani Helence, nie widzieli nigdy. To dopiero było prawdziwe szaleństwo!

– Asiu, pamiętaj, nie musisz się rozstawać z Agą. Jeśli chcesz, możesz ją odwiedzać nawet codziennie – powiedziała starsza pani na pożegnanie.

Asia podziękowała za zaproszenie i obiecała, że któregoś dnia zajrzy do Agi. Ale w głębi duszy wiedziała, że to już nie będzie to samo.

Kilka miesięcy później w domu Asi zadzwonił telefon.

– O, dzień dobry, pani Helenko! – ucieszyła się mama, kiedy w słuchawce usłyszała głos starszej pani. A potem bardzo długo i bardzo dziwnie z nią rozmawiała. – Nie wiem, sama nie wiem… – powtarzała. – Tak pani myśli? Ale czy my będziemy potrafili…? Czy damy radę?

Asia nic z tej rozmowy nie zrozumiała. Nie rozumiała też, dlaczego mama i tata przez pół wieczoru szeptali coś sobie w kuchni. Ale w końcu…

– Asiu… – zaczęła mama. – Sunia pani Helenki została mamą. Urodziła dwa kudłate, czarno-brązowe pieski.

– Całkiem takie jak Aga! – wtrącił tata.

– I jedną suczkę. Ta suczka podobno wygląda strasznie śmiesznie! Pani Helenka mówi, że w życiu nie widziała śmieszniejszego psa. Wyobraź sobie, że jest trochę biała, trochę czarna, a trochę ruda!

– To teraz pani Helenka będzie miała aż cztery psy? – z zazdrością zapytała Asia.

– Nie, no skąd. Jednego pieska weźmie sąsiadka pani Helenki. Drugi zamieszka ze swoim tatą, pani Helenka już dawno obiecała szczeniaczka jego właścicielom.

– A trzeci?

– Właśnie w tej sprawie zadzwoniła do nas pani Helenka. Nie zapomniała, co dla niej zrobiłaś. Jest ci wdzięczna, że zaopiekowałaś się Agą, a jeszcze bardziej, że zdecydowałaś się ją oddać. I dlatego chciałaby ci podarować łaciatą córeczkę Agi. Co ty na to?

Asia nadal maluje obrazki. Bryka po nich łaciate stworzenie – trochę białe, trochę czarne, a trochę rude. A obok, tak jak na wcześniejszych rysunkach Asi, spaceruje dziewczynka.

Jedno tylko się zmieniło – każdy obrazek jest teraz ozdobiony dużym, kolorowym podpisem: Kama i Asia.

Anna Sójka

SAMODYSCYPLINA, czyli JAK ZMIENIĆ SWOJE ŻYCIE W TYDZIEŃ

Mam na imię Marcin i chodzę do podstawówki. Najbardziej ze wszystkich rzeczy lubię pisać. Lubię też mojego przyjaciela Krzyśka i czasami moją siostrę Natalię, i mamę, i tatę, i babcię też. Ale z rzeczy do robienia najbardziej lubię pisanie. Kiedyś zostanę Bardzo Znanym Pisarzem, a teraz opisuję po prostu to, co się codziennie dzieje. Czyli prowadzę pamiętnik. Babcia mówi, że dobrze robię, bo nie dość, że ćwiczę pióro, to jeszcze od czasu do czasu moje pisanie bywa pożyteczne i pouczające. Jak na przykład opis pewnego tygodnia, który zmienił… sami przekonajcie się co.

Piątek

Wczoraj był sądny dzień. Tak powiedziała babcia. To znaczy, że nic się nikomu nie udawało, wszystko waliło się na głowę i oczywiście każdy był zdenerwowany. To nie jest aż takie dziwne, bo w naszej rodzinie takie dni zdarzają się od czasu do czasu. Czasem nawet częściej.

A dzisiaj przyjechała moja kuzynka Iga, która chce zostać psychologiem, i zaraz oznajmiła, że nam pomoże. Bo mamy problem z odpowiedzialnością, organizacją i samodyscypliną.

Ha! Wyobraziłem sobie, że za chwilę zjawi się u nas telewizja i jutro po wiadomościach albo w niedzielę przy śniadaniu wszyscy będą mogli zobaczyć, jak mama gubi kluczyki do samochodu,

tata zapomina o spotkaniu z ciocią Krysią, ja zupełnie przez przypadek nie zabieram do szkoły podręczników, a moja siostra nie wstaje na czas, żeby zdążyć do przedszkola. Do tego babcia nie może zapłacić w sklepie kartą, bo nie zauważyła, że przekroczyła tygodniowy limit. I jeszcze pies zjada grzanki ze stołu zamiast karmę ze swojej miski. Wiecie, są takie programy w telewizji. Potem przychodzi jakaś Supernaprawiaczka i w tydzień z tego zamieszania robi się Całkowity Porządek. Wszyscy są szczęśliwi, występują w książce o Doskonałej Rodzinie i rozdają autografy na festynach oraz kiermaszach. Hurra!

Jednak moja kuzynka Iga miała inny plan.

– Trzeba do tego podejść naukowo – powiedziała. Zabrzmiało to trochę groźnie, a już na pewno poważnie.

Zaczęliśmy się przekrzykiwać, że mieliśmy jechać nad jezioro (to moja siostra), grać na PSP (to ja), że przykro nam, ale nie mamy czasu na żadne

eksperymenty, a Iga powinna uczyć się do egzaminu (to tata) i że trzeba wyjść z psem (to mama).

– Pozwólcie dziewczynie się wykazać. Ma rację, trzeba z tym w końcu zrobić porządek – powiedziała babcia, chyba trochę głośniej niż zwykle. Może właśnie dlatego jej posłuchaliśmy.

Iga miała zostać u nas tydzień i w czwartek zdawać ważny egzamin.

– Tydzień wystarczy, żeby zmienić swoje życie – powiedziała stanowczo. Zupełnie jak Supernaprawiaczka z telewizji. Potem zamknęła się w pokoju gościnnym i tyle ją widzieliśmy.

Sobota

Iga zrobiła nam testy, które przygotowywała przez całą noc, a potem wypisała nasze mocne i słabe strony. To znaczy zanotowała, w czym każdy z nas jest dobry, a co komu nie wychodzi. Do tego wcale nie chodziło jej na przykład o kłopoty z tabliczką mnożenia. Okazuje się, że po takich zabawach dokładnie wiadomo, jaki kto jest. To takie proste!

Ja jestem dobrym obserwatorem, ale łatwo się rozpraszam.

Moja siostra Natalia ma bogatą wyobraźnię i lubi podejmować ryzyko.

Mama jest słuchowcem, to znaczy lepiej zapamiętuje to, co słyszy, niż to, co widzi. A do tego jest bardzo dokładna.

Tata za to jest wzrokowcem, czyli całkiem odwrotnie. I jeszcze lubi spokój.

Babcia ma zdolności przywódcze, ale szybko rezygnuje z nudnych zadań.

– A ty jaka jesteś? – zapytałem Igę.

– A ja będę psychologiem – odpowiedziała, wzruszając ramionami. Pewnie nawet nie usłyszała, jak tata mruknął pod nosem, że jak się nie nauczy do egzaminu, to raczej nie będzie.

Może ja też kiedyś zostanę psychologiem – podoba mi się rysowanie i odpowiadanie na różne zagadki. To niesamowite, że o każdym można tyle powiedzieć. Zawsze myślałem, że mój przyjaciel Krzysiek jest fajny i tyle, a on ma pewnie jeszcze jakieś inne cechy. Zrobię mu testy psychologiczne i sprawdzę to.

Niedziela

Rano było trochę zamętu, bo wczoraj wieczorem zapomnieliśmy ustalić, kto wychodzi z psem. Hm… pokłóciliśmy się, ale nie bardzo. W każdym razie tym zamieszaniem obudziliśmy Igę, która stwierdziła, że ona może pójść, bo i tak chce się przespacerować.

– Dziękuję ci, dziecko – babcia powiedziała to z taką pochwałą w głosie, że aż poczułem zazdrość, że to nie ja się zgłosiłem.

Po pysznym niedzielnym obiedzie szeleściliśmy papierem, szuraliśmy taśmą klejącą, stukaliśmy ołówkami i przepychaliśmy się przy stole. Na wielkim arkuszu, który zrobiliśmy z posklejanych kartek, zapisaliśmy nowe zasady. Taki domowy regulamin. Trochę przy tym było przekrzykiwania się i nawet rozpychania, a Natalia skakała po kanapie, ale w końcu udało się uzgodnić wszystkie punkty.

To Iga wymyśliła taki sposób na naszą rodzinę. Powiedziała, że pracowała nad tym pomysłem przez całe przedpołudnie, od powrotu ze spaceru.

Ja muszę się skupić na jednym zadaniu w tygodniu, żebym przestał się rozpraszać.

Natalia ma się uspokoić i nie skakać po kanapie. Ma też wstawać rano o właściwej porze.

Mama ma pilnować naszych wydatków.

Tata odpowiada za klucze i w ogóle wszystkie rzeczy, które mogą się zgubić: ma pamiętać, gdzie leżą.

Babcia ma się starać nie rozkazywać i rozwiązywać krzyżówki, żeby ćwiczyć cierpliwość.

Ależ ta Iga mądra. Nie wiem, dlaczego babcia nie wyglądała na zadowoloną. Przecież to ona chciała, żebyśmy dali dziewczynie szansę. W każdym razie poszła poszukać w Internecie nowego przepisu na placek z owocami. Babcia, a nie Iga, oczywiście. Ja uważam, że moja kuzynka jest po prostu lepsza od Supernaprawiaczek z telewizji. Teraz siedzi w pokoju i pracuje nad dalszym planem dla naszej rodziny. Tak powiedziała.

Poniedziałek

To łatwizna! Obudziłem Natalię o wpół do siódmej, zaraz po tym, jak zadzwonił mój budzik. Tym razem nie spóźniła się do przedszkola. Wyprowadziłem psa. Tego dnia był Dzień Patrona i nie mieliśmy lekcji, tylko apel i różne zabawy. Nie zapomniałem niczego do szkoły, bo niczego nie trzeba było zabierać. Z powrotem, to znaczy jak szedłem ze szkoły do domu – też nie. Mama akurat miała dzień wolny, więc zajęła się porządkowaniem wydatków: zrobiła w komputerze specjalną tabelkę, do której wszyscy mają się dopisywać. Ale będzie porządek! Tata bez problemu zabrał do pracy teczkę, kluczyki do auta, a nawet książkę, którą obiecał pożyczyć koledze. Babcia siedziała w kuchni z nosem w krzyżówkach i nic nie mówiła, co nie było takie całkiem zwyczajne, jeśli o nią chodzi. Natalia nie skakała po kanapie, a pies wyjątkowo zjadł karmę ze swojej miski zamiast kiełbasek, które leżały na kuchennym blacie.

– Iga, ty to jesteś bardzo mądra – pochwaliłem kuzynkę wieczorem. Uśmiechnęła się do mnie i poszła oglądać swój ulubiony film.

Wtorek

To katastrofa! Szedłem do szkoły na ósmą pięćdziesiąt, więc nie obudziłem Natalii, która spóźniła się do przedszkola. Tata odłożył kluczyki samochodowe w jakimś tajemniczym miejscu, a sam pojechał do pracy autobusem. Mama za nic na świecie nie potrafiła ich znaleźć. Długo nie mogła też dodzwonić się do taty i rano było przez to bardzo

nerwowo. Dlatego zapomniałem worka ze strojem do WF-u. Babcia wyrzuciła krzyżówki do kosza i powiedziała, że już nigdy nie będzie zajmowała się takimi nudami i idzie na spacer z psem, a potem będzie grać w szachy z sąsiadem, a jeszcze potem wybierze się do cukierni na kawę.

Jak wróciłem ze szkoły, to okazało się, że Iga jest nie w sosie. Natalia skakała po kanapie. Nikt nie miał czasu wpisać wydatków do komputera. Tata powiedział nawet, że od razu było wiadomo, że to dziwny pomysł.

– W ten sposób nie da się wprowadzać zmian – obraziła się Iga. – Podstawą jest samodyscyplina. Musicie zrozumieć, że to ważne – powiedziała i zamknęła się w pokoju, żeby poczytać nowy kryminał.

Na to Natalia oświadczyła, że nikt jej nie będzie niczego zakazywał, a już na pewno nie jakaś kuzynka, i że ona sama będzie sobą rządzić.

– Trzask! – Trzasnęły drzwi do pokoju mojej siostry. W domu zrobiło się cicho.

Środa

To niesamowite! Natalia, jak już przestała się obrażać, poprosiła wczoraj wieczorem mamę o nastawienie budzika i sama wstała rano dokładnie o tej porze, co trzeba. Umyła się, ubrała i zjadła śniadanie tak szybko jak nigdy, po czym oświadczyła, że wszystko przemyślała i sama siebie będzie pilnować, bo to jest samodyscyplina, a nie wymyślanie jakichś dziwacznych zasad.

– Pomogę ci zapisać nowy regulamin, jak chcesz – zaproponowałem.

– Dzięki, Marcin – odkrzyknęła już w drzwiach.

Wiecie co? Wziąłem smycz i bez upominania wyprowadziłem psa na spacer.

Po południu usiedliśmy przy stole i spisałem zasady, które wymyśliła dla samej siebie Natalia. Było tam o porannym wstawaniu i o tym, jak można się bawić, a jak nie. Moja młodsza siostra zakazała sobie skakania po kanapie!

Babcia rozchmurzyła się, jak tylko Natalia pokazała jej swoje postanowienia. Upiekła placek drożdżowy ze śliwkami według nowego przepisu. Taki placek ma zupełnie czarodziejskie właściwości. W całym domu pachnie śliwkowym sadem i latem. Aż chce się zrobić coś dobrego. Siedzieliśmy wszyscy przy stole i wspominaliśmy różne śmieszne historie. Nikt się nie denerwował, nie złościł i nie naburmuszał. Nawet Iga kilka razy się uśmiechnęła. W końcu poszła spać, bo przecież jutro ma ważny egzamin i musi odpocząć.

Czwartek

– No i nasza Igusia w tydzień zmieniła swoje życie – westchnął tata.

Iga nie zdała egzaminu, bo zamiast się uczyć… sami wiecie co. Zabrakło jej samodyscypliny. Tak mówi babcia. A babcia ma zawsze rację. Uwierzcie mi.

Eliza Piotrowska

PIĘKNO, czyli NIE CHCĘ BYĆ KRASNALEM

Klaudyna

Klaudyna obudziła się w złym humorze. Stanęła przed lustrem i stwierdziła, że jest brzydka. Skąd jej to przyszło do głowy? Każdy przecież wie, jak wyglądają prawdziwe księżniczki! No to Klaudyna wyglądała zupełnie na odwrót – miała ciemne włosy zamiast jasnych, brązowe oczy zamiast niebieskich, duże stopy zamiast małych, a do tego pyzatą buzię pełną piegów! No i najlepiej czuła się w spodniach.

Do prawdziwej księżniczki było jej więc bardzo daleko.

– Japońskie księżniczki też mają ciemne włosy – poinformował ją tata.

– A szwedzkie chodzą w spodniach – roześmiała się mama i dodała: – Poza tym dla nas zawsze będziesz najpiękniejsza!

– Tylko że ja chcę być piękna tak w ogóle, żeby inni też to widzieli. – Klaudyna myślała w tej chwili o Julce, która mieszkała obok i była piękna w ten właśnie sposób.

– Ale po co? – zapytał tata.

Klaudyna zamyśliła się. Prawdę mówiąc, sama nie wiedziała po co. Może po to, żeby ją podziwiano. Albo żeby nareszcie mogła zagrać królewnę w szkolnym teatrzyku. Albo żeby Mateusz się w niej zakochał... Ale od tego myślenia rozbolała ją tylko głowa.

– Idę na dwór – oznajmiła nagle.

A potem zawołała Azora, wskoczyła na rower i po chwili o wszystkim zapomniała. Bo kiedy pędzi się na rowerze, wtedy myśli się o zupełnie innych rzeczach – o tym, że jest się ptakiem albo wiatrem i że cały świat jest na wyciągnięcie ręki. I jeszcze – że jest pięknie! I wtedy człowieka aż rozpiera. Bo to piękno jest w środku.

Julka

Dom Julki był najładniejszym domem na osiedlu. Tak przynajmniej twierdziły dzieciaki. Pewnie dlatego, że wyglądał jak pałac – miał dwie wieżyczki, złotą bramę, ogród z altanką i prawdziwą fontannę wykładaną kolorowymi szkiełkami.

Julka też była najładniejsza. Miała jasne warkocze, niebieskie oczy, sukienki w kwiatki, różowy pokój, łóżko z baldachimem i strój baletnicy – bo Julka chodziła do szkoły baletowej.

Ale mimo to była jakaś smutna.

I dzieciaki nie mogły zrozumieć dlaczego – przecież ktoś, kto tyle ma, powinien być zawsze wesoły.

Ale nikt z nich nie wiedział, że Julka musi ciągle na wszystko uważać – żeby nie poplamić ubrania, żeby nie popsuć fryzury, nie wykrzywić butów, nie objadać się, nie spocić, nie krzyczeć, nie przestawiać figurek na komodzie, nie pognieść narzuty na łóżku… A kiedy się tak ciągle na wszystko uważa, wtedy jest się smutnym. Dlatego Julka zazdrościła Klaudynie, która na nic nie musiała uważać, zawsze miała własne zdanie, wskakiwała w najgłębsze kałuże i jeździła bez trzymanki na rowerze. Klaudyna miała gitarę, własny namiot, psa Azora, czarne loki, oczy jak węgle i uśmiech jak słońce. Dlatego wszyscy ją lubili. Trudno się dziwić. Klaudyna była wyjątkowa! A Julka? Julka była taka, jak chciała mama.

Krasnal

Pewnego dnia w ogródku Julki pojawił się wielki, gruby krasnal.

– Podoba ci się? – zapytała zachwycona mama.

– Yhm… – przytaknęła Julka, bo nie chciała robić mamie przykrości. Ale tak naprawdę krasnal był OKROPNY. No i patrzył jakoś krzywo, jakby coś knuł. Julka nie bardzo wiedziała, czy krasnal jest dorosły i udaje dziecko, czy na odwrót – jest dzieckiem i udaje dorosłego. Wydawało jej się, że ma dwie twarze, jak klown. Jedną nie swoją, namalowaną na wierzchu, i drugą prawdziwą, pod spodem. Julka bała się krasnala i wieczorem spuszczała rolety, żeby nie zaglądał jej w okno. Ale i tak przebijał przez nie jego niepokojący cień. W dzień było trochę lepiej, bo krasnal wydawał się mniej straszny i Julka nie zwracała na niego uwagi. Ale i tak wiedziała, że tam stoi. STOI I KNUJE.

Przyjaźń

– Azor, wracaj! – zawołała Klaudyna.

Ale było już za późno.

Azor wparował do ogrodu i ruszył w stronę krasnala. Najpierw obsikał go z góry do dołu, a potem pogrzebał w chmurze piachu. Był z siebie bardzo zadowolony. Najwyraźniej miał ochotę zrobić to od dawna. Okazja jednak nadarzyła się dopiero dzisiaj, ponieważ ktoś zostawił otwartą furtkę.

Julka była na podwórku i wszystko widziała.

– O rety, przepraszam… – Klaudynie było strasznie głupio. – Zaraz wyszoruję go na błysk!

– Nie musisz. Dobrze mu tak! – powiedziała Julka z satysfakcją.

„No, no…" – Klaudyna nie wierzyła własnym uszom. Śliczna Julka zaczynała pokazywać rogi.

I wtedy stało się coś bardzo dziwnego. Julka usiadła na trawie i zaczęła się śmiać. Najpierw cicho, zasłaniając usta ręką, a potem coraz głośniej i głośniej, aż przewróciła się na bok i przebierając nogami, po prostu pękała ze śmiechu.

– Dobrze mu tak, dobrze mu tak! – powtarzała co chwilę.

– Masz rację, on jest okropny! Dobrze mu tak! – dołączyła do niej Klaudyna i teraz śmiały się już obie.

Mama była zła na Julkę i nie rozumiała, co ją tak rozbawiło. Że pies sąsiadów obsikał im krasnala? Co w tym śmiesznego? No i kto to widział tarzać się w trawie jak jakiś dzik! Mama mówiła podniesionym głosem i marszczyła czoło, a Julka jak zwykle tylko słuchała. Ale dzisiaj nie było jej smutno. Dzisiaj była szczęśliwa – bo tam, w trawie, tarzała się jak dzik RAZEM Z KLAUDYNĄ!

Odkąd zaczęły się spotykać, jak na złość, ciągle wydarzały się jakieś rzeczy. Najpierw Julka zniszczyła morelowe lakierki, bo poszła w nich z Klaudyną na grzyby, potem robiły u Julki sałatkę owocową i poplamiły ulubiony obrus mamy, no a potem Klaudyna uczyła Julkę jeździć bez trzymanki na rowerze i Julka zwichnęła nogę. Klaudyna była przerażona, a Julka cieszyła się, że nie będzie musiała chodzić na lekcje baletu.

Mama bardzo się denerwowała. Nie tylko na Julkę. Na tatę też.

– Nigdy nie ma cię w domu! – mówiła podniesionym głosem.

Julka nie dziwiła się tacie. Ona też wolała dom Klaudyny niż swój własny.

Dom Klaudyny

U Klaudyny panował miły bałagan i zawsze było bardzo wesoło. Azor, pies Klaudyny, najbardziej lubił kłaść się w przejściu i trzeba było uważać, żeby na niego nie nadepnąć. Tata Klaudyny był naukowcem i czytał kilka książek naraz. Zostawiał je potem w różnych dziwnych miejscach – w lodówce, w szafce z butami albo pod wanną, i cała rodzina musiała ich szukać. Tomek, brat Klaudyny, interesował się fotografią i ćwiczył dżudo. Mama Klaudyny pracowała w bibliotece, pachniała maślanymi ciasteczkami i była miękka jak puchowa poduszka. Dlatego Julka bardzo lubiła się do niej przytulać. W tym domu każdy mebel był z innej parafii, każdy talerz miał inny wzorek, a każda ściana inny kolor. Na granatowej wisiały dyplomy taty, na czerwonej – rysunki Klaudyny, na zielonej – obrazy mamy, a na niebieskiej – zdjęcia Tomka. Tak pięknego domu Julka nie widziała w żadnym katalogu!

Skarb

Julka weszła do swojego pokoju i od razu domyśliła się, że mama robiła w nim porządki. Lalki stały na baczność, książki ułożone były w jednej linii, wielki kaktus, którego nie cierpiała, wrócił na parapet, a kolorowe liście, które zostawiła na biurku, nagle gdzieś zniknęły. Coś ją tknęło i zajrzała do szuflady, w której chowała zielony kamień. A dokładnie jedną jego połowę. Bo druga należała do Klaudyny. Kamień był znakiem ich przyjaźni, najważniejszą rzeczą, jaką miała! Ale nie zostało po nim ani śladu...

– Gdzie jest mój kamień?! – krzyknęła Julka, wybiegając z pokoju.

– Jaki znów kamień? – nie rozumiała mama.

– Ten zielony... ten, który leżał w szufladzie... – Julce drżał głos.

– Ach, ten... Nie ma już go, wyrzuciłam. Nie rozumiem, po co ci takie...

Julka wparowała do kuchni i wysypała zawartość kosza na śmieci na podłogę. Ale kamienia nie znalazła.

Mama bardzo się rozgniewała.

– Co ty robisz!? – krzyknęła i potrząsnęła nią jak lalką.

I wtedy w Julce coś pękło. Wyrwała się mamie i pobiegła do ogrodu.

– A masz, a masz! – zaczęła okładać krasnala pięściami. – Jesteś brzydki, stary, głupi i... i obsikany!

– Co się stało? – zapytała mama Klaudyny, która akurat wracała z zakupów.

– Mama wyrzuciła mi Kamień Przyjaźni! – rozpłakała się Julka.

– Ale co ma do tego krasnal?

– Jest brzydki, okropny! To jego wina!

Mama Julki wybiegła, żeby zobaczyć, co się dzieje.

– Dość tego! – krzyknęła. Była zła, że jej córka urządza podobne sceny przy sąsiadach. – Do domu, ale już! – rozkazała.

Ale Julka nie chciała wracać i płakała coraz głośniej.

Wtedy mama Klaudyny weszła do ich ogrodu, odłożyła zakupy i po prostu objęła zapłakaną Julkę. A Julka z całych sił wtuliła się w tę dobrą i pachnącą mamę, która przyszła jej na ratunek.

Mama Julki spuściła głowę.

– Chodźmy do domu – powiedziała po chwili.

I poszły.

Julka położyła się na kanapie w butach, a mama, o dziwo, nic nie powiedziała. Potem ktoś nakrył ją kocem, a potem słyszała jakieś szepty, szum gotującej się w czajniku wody, brzęk filiżanek i… płacz mamy. Tak, mama płakała… A potem spadł z drzewa wielki, zielony liść, była wiosna i mama jechała bez trzymanki na rowerze, i wołała: „Zobacz, jaka jestem piękna!".

Julka obudziła się we własnym łóżku. Miała na sobie piżamkę w kotki. Była sobota i w powietrzu unosił się miły, słodki zapach. Nagle do pokoju weszła mama z kubkiem gorącej czekolady.

– Dzień dobry, córeczko – powiedziała czule.

„Chyba jeszcze śpię" – pomyślała Julka, szczypiąc się w rękę. Ale nie spała.

– Od dzisiaj wszystko się zmieni, obiecuję… – powiedziała mama i pogłaskała ją po głowie.

Julka przytrzymała rękę mamy, bo chciała, żeby ta piękna chwila trwała jak najdłużej, a potem zamknęła oczy – żeby zatrzymać ją w środku.

Zmiany

Ale niełatwo zmienić wszystko w jeden dzień. Najtrudniejszy był początek, bo mama była jakaś wystraszona, ale potem przestała się bać i było łatwiej. Julka nareszcie powiedziała mamie, że nie chce być baletnicą. I mama to zrozumiała. Mama wytłumaczyła Julce, że nie wychodzi się na podwórko w ładnych i drogich rzeczach, bo się niszczą. Julka wytłumaczyła mamie, że nie wiedziała, że morelowe lakierki były drogie, i że myślała, że są brzydkie. Mama poprosiła Julkę, żeby szanowała krasnala, bo to piękna rzeźba ogrodowa. Julka poprosiła mamę, żeby ta „piękna rzeźba" nie stała pod jej oknem. Mama pozwoliła Julce zapraszać dzieci z osiedla, Julka obiecała pomagać mamie w porządkach. Julka poprosiła mamę, żeby: nie robiła omletów ze szpinakiem, nie przestawiała jej niczego w pokoju i nie odkurzała w sobotę rano. Mama poprosiła Julkę, żeby: nie pociągała nosem, nie jadła nieumytych owoców i nie jeździła bez trzymanki na rowerze.

Ogłoszenie

Mama włączyła telewizor i usłyszała: „Zapraszamy dziewczynki w wieku od sześciu do dziewięciu lat na casting do reklamy czipsów cebulowych. Casting odbędzie się jutro o godzinie dwunastej w domu kultury. Obecność rodziców obowiązkowa".

– Idziemy! – zawołała przejęta mama.

– Nie chcę… – Julkę zaczynał boleć brzuch.

Przypomniały jej się lekcje baletu i różne rozkazy: „Patrz w lewo, głowa wyżej!". Znów ktoś będzie ją poprawiał, a ona ze strachu wszystko pomyli…

Ale mamie bardzo zależało.

– Zrób to DLA MNIE, proszę…

No i Julka zrobiła to DLA MAMY.

– Nie martw się, pójdę z tobą – obiecała Klaudyna i Julce trochę ulżyło.

Casting

I tak na drugi dzień Julka, mama i Klaudyna ustawiły się w długiej kolejce przed domem kultury. Julka wyglądała przepięknie! Miała podkręcone włosy, przepaskę wysadzaną lśniącymi kamykami, różową sukienkę z falbankami, błyszczącą torebkę na łańcuszku, białe lakierki z obcasami, a nawet róż na policzkach. Mama Julki też wyglądała pięknie – miała wielki kok przyprószony brokatem, czerwoną sukienkę z jedwabiu i szpilki w panterkę. A Klaudyna? Klaudyna ubrana była w dres i adidasy, jak zwykle.

Stały już tak ponad godzinę. Mama Julki poprawiała nerwowo fryzurę, Julkę uwierały buty i chciała usiąść, a Klaudyna z nudów zaczęła rozglądać się wokół siebie.

– O rety! – zawołała nagle. – Przecież wy wszystkie wyglądacie tak samo!

I Julka musiała przyznać jej rację. Okazało się, że w ich mieście mieszka mnóstwo podobnych do siebie dziewczynek, które na dodatek zebrały się dzi-

siaj w jednym miejscu. Każda z nich miała blond włosy, różową sukienkę, buty na obcasach i piękną mamę. Tylko że Julka nie chciała zagrać w reklamie, a cała reszta bardzo! Kiedy więc na schodach pojawiła się pani, która rozdawała numerki, dziewczynki rzuciły się w jej kierunku, rozpierając się łokciami, okładając torebkami i krzycząc wniebogłosy. Zaradne mamy torowały im drogę, wykłócając się między sobą. Mama Julki również brała udział w tej bitwie.

– Mamy dwunastkę! – zawołała szczęśliwa, biegnąc w stronę córki.

Niespodzianka

– Numer dwunasty! – zawołała asystentka reżysera.

Julka poczuła, jak uginają się pod nią kolana. Na szczęście Klaudyna była obok i trzymała ją za rękę.

– Wchodzą tylko dzieci. Rodzice czekają na korytarzu – poinformowała asystentka.

I tak Julka i Klaudyna znalazły się w ciemnej sali, pełnej różnych dziwnych urządzeń.

Julka nie potrafiła wydusić z siebie ani słowa, więc przedstawiła ją Klaudyna:

– Dzień dobry, to jest Julka. A ja jestem Klaudyna i przyszłam tylko popatrzeć – powiedziała głośno i wyraźnie.

– Julka może usiąść, Klaudynę proszę tutaj – rozkazał reżyser.

– Ale to Julka przyszła na casting, nie ja – wyjaśniła Klaudyna.

– Nie szkodzi – stwierdził władczym tonem reżyser.

– Idź, idź za mnie… – błagała przyjaciółkę Julka.

No i zaczęło się. Najpierw zrobili Klaudynie mnóstwo zdjęć. Ale Klaudyna świetnie się bawiła, bo fotograf cały czas ją rozśmieszał. Potem miała coś zaśpiewać i nie tylko zaśpiewała, ale i zagrała. Bo w kącie stała gitara i Klaudyna od razu ją zauważyła. A potem reżyser poprosił, żeby weszła mama Klaudyny.

– Mama gotuje obiad – powiedziała Klaudyna. – Ale jest ciocia.

– Poproście ciocię – powiedział reżyser, przewracając oczami.

Po chwili zaś poinformował ekipę: – Casting zakończony.

Reszta może wracać do domów.

– Wiedziałam, wiedziałam, że moja córka wygra! – Dobiegł z korytarza krzyk mamy.

Nagle mama ucichła. A potem było już słychać tylko jej drżący głos:

– Co? Klaudyna?! Ta dziewczynka w dresie?!

„Teraz mama się na mnie pogniewa" – pomyślała Julka.

Ale wszystko potoczyło się zupełnie inaczej. Mama weszła do sali i po prostu ją przytuliła.

– Nie martw się, córeczko… – powiedziała. – Dla mnie i tak będziesz zawsze najpiękniejsza. A pan, pan nic nie rozumie – rzuciła w stronę reżysera.

Julka przytuliła się do mamy. Tak bardzo chciała to usłyszeć – że jest piękna DLA MAMY. I że zawsze będzie.

A Klaudyna? Klaudyna oświadczyła, że wcale nie chce zagrać w reklamie.

– Niemożliwe! – nie mógł uwierzyć reżyser, któremu pierwszy raz w życiu ktoś się sprzeciwił. – Nie chcesz być sławna?

– Ale po co? – uśmiechnęła się Klaudyna. A na odchodnym dodała: – Proszę pana, zapomniałam o najważniejszym: nie cierpię cebulowych czipsów!

– O nie! – rozpaczał reżyser. – Gdzie my taką drugą znajdziemy? Tyle energii, tyle życia, tyle prawdy! Żaden przebieraniec, tylko prawdziwe dziecko!

I nagle Julka zrozumiała, dlaczego krasnal jest brzydki. Bo kogoś udaje, BO NIE JEST SOBĄ. Krasnal był przebierańcem. Jak ona teraz – w tych za ciasnych butach na obcasach, z różem na policzkach.

„Jak wrócimy do domu, powiem o tym mamie" – pomyślała.

Po castingu poszły jeszcze do kawiarni. Słońce powoli zachodziło, w powietrzu unosił się zapach lata, a one siedziały pod wielkim czerwonym parasolem, jadły lody i wdychały całe piękno tego dnia.

– To ja już lecę… – odezwała się nagle Klaudyna. Poczuła nagle, że musi przytulić się do mamy i taty. Teraz, natychmiast.

Irena Landau

ODPOWIEDZIALNOŚĆ, czyli BARDZO POWAŻNA SPRAWA

Może myślicie, że Kubuś Puchatek to miś? Miś też, ale także szczur. A nawet dwa. Jeśli nie wierzycie, to zapytajcie moją siostrę Monikę, kogo kocha najbardziej na świecie, nie licząc rodziny. Powie wam, że Kubusia i Puchatka. Kubuś jest biały, a Puchatek trochę ciemniejszy, i tak przypominają misie jak ja Słonia Trąbalskiego. Bo to są… szczury! Oczywiście kupione w sklepie zoologicznym, bo dzikie mogą zrobić krzywdę, być chore i w ogóle nie wolno ich dotykać.

Szczuromania rozpoczęła się jakieś pół roku temu. Dziewczyny z klasy Moniki całkiem powariowały! Najpierw Kaśka dostała od wujka dwa szczury, a potem wkręciło się w to pół klasy, z moją siostrą na czele.

Zwykle Kubuś i Puchatek siedziały w swojej klatce, ale Monika raz dziennie wypuszczała je, żeby sobie pobiegały. Pewnego dnia, podczas jednego z takich właśnie spacerów zadzwonił telefon i okazało się, że mama musi natychmiast pojechać do szpitala. Mama jest lekarzem i ktoś chciał się z nią naradzić w sprawie operacji mającej się odbyć następnego dnia. To się nazywa konsultacja.

– Akurat teraz! – zmartwiła się mama. – Muszę wyjść i nie wiem, czy mogę zostawić was samych... Może zadzwonię po babcię?

– Ale mamo, co ty mówisz – zdziwiła się Monika. – Przecież ja mam już piętnaście lat, nie jestem dzieckiem. Potrafię się zaopiekować młodszym bratem.

– No, nie wiem... Robert, będziesz słuchał Moniki?

– Dlaczego niby mam jej słuchać, nie jestem małym dzieckiem – zawołałem oburzony.

– Robert! – Mama nie miała ani czasu, ani ochoty na dyskusję.

– No dobra – uległem.

– Pamiętajcie, nikomu nie otwierajcie drzwi. Jeśli babcia przyjdzie, to i tak ma klucze, więc sobie poradzi. I oczywiście nie ruszajcie się z domu.

I mama wyszła, ale przedtem zatelefonowała do babci, która powiedziała, że przyjdzie najwcześniej za godzinę. A Monika nie pamiętała już o Kubusiu i Puchatku, tylko usiadła przed komputerem. Nie siedziała długo. Nie wiem, czy ktoś do niej zadzwonił, czy dostała maila, ale w pewnej chwili zerwała się z krzesła.

– Robert, słuchaj, mam taką sprawę – zaczęła podejrzanie miłym głosem. – Właśnie się dowiedziałam, że do Kaśki przyszło parę osób. Bardzo chciałabym tam iść, bo...

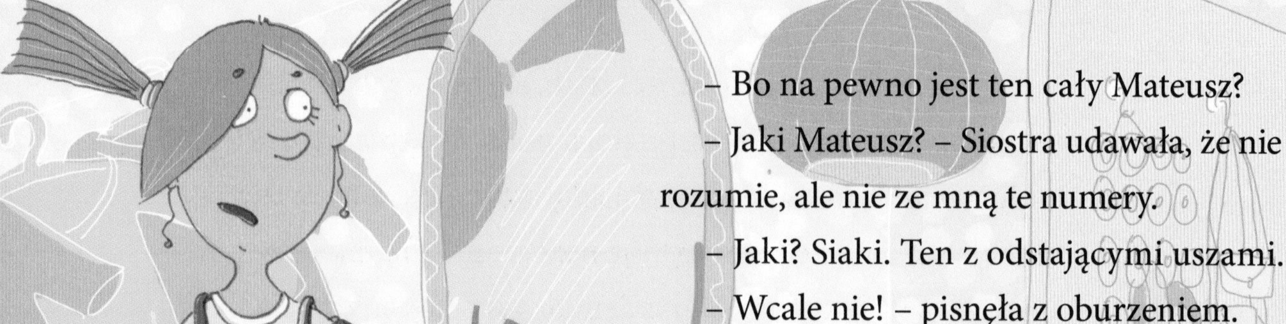

– Bo na pewno jest ten cały Mateusz?

– Jaki Mateusz? – Siostra udawała, że nie rozumie, ale nie ze mną te numery.

– Jaki? Siaki. Ten z odstającymi uszami.

– Wcale nie! – pisnęła z oburzeniem.

– Nie wiesz, jaki Mateusz, ale wiesz, że nie ma uszu? – droczyłem się.

– Głupi jesteś, sam nie masz uszu.

– Jak jestem głupi, to tym bardziej masz mnie pilnować. Obiecałaś mamie! – przypomniałem.

– No właśnie, co byś chciał za to, że mnie nie wsypiesz? – Monika przeszła do rzeczy.

– Co ty, próbujesz mnie przekupić? I tak nie powiem, ale jak przyjdzie babcia, zobaczy przecież, że cię nie ma – starałem się przemówić siostrze do rozsądku.

– Nie zobaczy, bo do tego czasu zdążę sto razy wrócić. Pójdę tylko na kilka minut, przebiegnę przez podwórko, to dwa kroki stąd. A może boisz się zostać sam?

– No wiesz! – krzyknąłem, całkiem zdenerwowany.

Czy ona ma mnie za tchórza, czy co? Wcale się nie bałem, wielkie rzeczy. Już kilka razy zostawałem sam, nie jestem niemowlakiem. Mama wychodziła do sklepu, wynosiła śmieci albo szła na chwilę do sąsiadki naprzeciwko, żeby obejrzeć gardło jej synka. I nigdy nic strasznego się nie działo.

Monika szykowała się do wyjścia – mierzyła już trzecią bluzkę i nie pomyślała nawet o swoich ukochanych szczurach. Takiej laby dawno nie miały, zwykle hasały piętnaście minut, a teraz szalały już chyba godzinę. I nikt się o nie nie troszczył. Ani moja siostra, ani ja, ani mama. Fakt, że ja i mama nie mieliśmy najmniejszego pojęcia, że Monika wypuściła zwierzaki z klatki.

W końcu moja siostra zdecydowała się na bluzkę, której nie cierpiałem, bo miała jakieś dziwne wycięcia. Ale może to ja nie znam się na modzie.

I Monika poszła, a ja zostałem sam i wszedłem do jej pokoju, bo nie wyłączyła komputera. Wiem, nie powinienem, ale z korytarza zobaczyłem, że ekran się świeci, więc wszedłem. Trudno, przecież wcale nie chciałem niczego ruszać, a szuflada biurka była otwarta i tylko spojrzałem, i aż mi się niedobrze zrobiło ze strachu, bo w środku siedział… duch.

To było okropne! Wlazł, wpełznął czy wsunął się (bo nie wiem, jak poruszają się zjawy) między kartki papieru, upchane byle jak przez Monikę. To wielka tajemnica, ale siostra zwierzyła mi się, że pisze wiersze, i nawet jeśli nie są za dobre, nie wyrzuca ich. Bo może – tak mi kiedyś powiedziała – po wielu, wielu latach, ktoś się na tej poezji pozna, a gdy dostanie Nagrodę Nobla, każde jej słowo będzie po prostu bezcenne. Wtedy ona lub jej spadkobiercy zarobią fortunę, a te kartki kupi jakieś muzeum i będą leżały w gablotkach. Monika, na dowód, że mówi prawdę, przeczytała mi nawet jeden swój wiersz. Zapamiętałem początek, to szło chyba mniej więcej tak:

Ach, przyszła wiosna, z nią deszcz i chmury,
śpiewają ptaszki i piszczą szczury.

A potem było coś o kwitnących kwiatkach, Kubusiach i Puchatkach, ale to mi wyleciało z głowy. Nie wiem, ale ja bym za to Nagrody Nobla jeszcze nie dawał.

Te zapisane kartki na razie kłębią się w biureczku. I właśnie pomiędzy nimi siedziała morda ducha. Tak pomyślałem, chociaż nie jestem pewien, czy o mordzie można powiedzieć, że siedzi. W każdym razie była tam, mrugała i nic nie mówiła.

Zamarłem. Muszę się przyznać, że o mało nie zemdlałem ze strachu. Nie miałem pojęcia, jakiego rodzaju to duch, dobry czy zły, co duchy umieją robić, i w ogóle czyj to duch. Ostatnio umarł sąsiad z czwartego piętra, też miał takie świdrujące spojrzenie, może to on? Ale nie powinien mieć do mnie żadnych pretensji, przecież nawet nosiłem mu ziemniaki na to czwarte piętro. Specjalnie właziłem po schodach, chociaż my mieszkamy na parterze.

Patrzyłem na ducha, a on na mnie. Po prostu wrosłem w podłogę. Nie mogłem ani uciec, ani się odwrócić, ani nic.

Patrzyliśmy tak na siebie rok, a może dwa (tak mi się przynajmniej wydawało), aż nagle duch jakoś dziwnie pisnął i… SZSZSZUUUR! Wyskoczył z szuflady.

Na pewno domyślacie się już, że to był szczur: Kubuś. Gdybym wiedział, że zwierzaki nie są w klatce, też bym się domyślił. Ulżyło mi jak nie wiem co, ale nagle zorientowałem się, że skoro Kubuś wylazł, to Puchatek na pewno też. To małe zwierzątka i mogą się gdzieś wcisnąć albo zapodziać i nigdy nie znaleźć. Nasze mieszkanie nie jest za duże, ale dla szczurów to chyba ogromna przestrzeń. Hasają sobie i nawet nie wiedzą, że coś może im zagrażać.

Pomyślałem, że Monika jest zupełnie nieodpowiedzialna. Szczury były pod jej opieką, a ona zapomniała i o Kubusiu, i o Puchatku, i poleciała oglądać uszy tego Mateusza. A teraz zwierzaki są na wolności. Babcia boi się ich jak ognia, więc trzeba je złapać, dopóki jeszcze nie przyszła.

Byłem zły i trochę zdenerwowany, postanowiłem jednak rozpocząć poszukiwania. Gdybym się tak głupio nie przestraszył ducha, czyli Kubusia, mógłbym od razu go złapać, zanim zdążył wyskoczyć z szuflady i ukryć się tak, że wcale go nie widać.

Szukałem i szukałem, i szukałem. Zaglądałem pod wannę i pod zlewozmywak, odstawiłem biureczko, wpełzłem pod stoły i macałem

BATMAN
LOVE
DOGS

ręką pod półkami. O mało nie pękłem z wysiłku, ale przesunąłem odrobinę tapczan, chociaż to było bez sensu, bo gdyby szczurza para była pod spodem, to przesunęłaby się razem z tapczanem. W końcu wpadłem na to, że szczury mogły po prostu uciec z mieszkania. Lufcik był otwarty! Oczywiście, Monika zapomniała go zamknąć i licho wie, może wydostały się na zewnątrz.

Pod naszymi oknami jest ładny kawałek trawnika, oddzielony od podwórka krzakami. Kilka razy Monika wychodziła tam z Kubusiem i Puchatkiem. Wkładała im coś w rodzaju smyczy i kaftaników i pozwalała tarzać się w trawie. Akurat na to miejsce wychodził lufcik, więc zwierzaki mogły sobie przypomnieć miłe chwile i zbiec z domu jak uciekinierzy z więzienia. Chociaż w więzieniach nie ma chyba lufcików, którymi można zbiec… Zresztą nieważne.

Wtedy, jak na zawołanie, coś poruszyło się w trawie. Pomyślałem, że na bank to Kubuś albo Puchatek, albo obaj naraz. Musiałem ich złapać, więc wybiegłem z mieszkania, zamknąłem za sobą drzwi i stanąłem na trawniku. Przyjrzałem się uważnie i owszem, coś się ruszało. Dwa gołębie stały sobie i rozmawiały… To wcale nie były szczury i nawet nie były podobne do gryzoni, tyle że jeden był biały, a drugi trochę ciemniejszy.

Bardzo się zmartwiłem i chciałem wrócić do domu, ale…

Totalny klops! Nie zabrałem kluczy, a mamy taki zamek zatrzaskowy, na wszelki wypadek, żeby przez pomyłkę nie zostawić otwartych drzwi. No i nie zostawiłem…

Wierzcie mi, sytuacja była nieciekawa. Mama wyszła, zaufała nam, myśląc, że jesteśmy odpowiedzialnymi ludźmi, dotrzymujemy słowa i siedzimy spokojnie w domu. Tymczasem nie było ani Moniki, ani mnie, za to po mieszkaniu biegały sobie dwa wesołe jak nigdy szczury. Chociaż to też nie było pewne, bo może jednak zwierzaki wylazły przez ten lufcik. Nie musiały być przecież na trawniku, mogły pójść nie wiadomo gdzie i teraz umierały ze strachu, bo nie miały pojęcia, jak trafić do domu. Rozejrzałem się. Kubusia ani Puchatka nie zobaczyłem, nato-

miast przy schodkach prowadzących na klatkę schodową siedział z rozradowaną miną Felek. Znałem go, mieszkał naprzeciwko nas, w bardzo podobnym mieszkaniu. Często wychodził sam na podwórko, a apetyt miał jak krokodyl. Jadł wszystko, co mu podtykano, może oprócz surowej marchewki. Teraz siedział, miał wesołe iskierki w oczach i oblizywał się.

Serce mi zamarło. A jeśli zżarł Kubusia i Puchatka? Felek był ogromny, rudy w białe smugi i bardziej przypominał tygrysa niż domowego kotka. Kto wie, czy się nie połakomił na ulubieńców Moniki. Moja siostra chyba umrze z rozpaczy. No może nie umrze, ale na pewno będzie rozpaczać.

Stałem i rozglądałem się, rozmyślając, co powinienem zrobić. Przypomniałem sobie, że nad nami mieszka miła pani, której mama czasem zosta-

wia klucze. Może tym razem też je ma? Wszedłem więc na pierwsze piętro, zadzwoniłem, ale nikogo chyba nie było, bo w mieszkaniu panowała cisza. Za to z parteru rozległ się nagle nieludzki krzyk! Wydawało mi się, że kogoś mordują, i przestraszyłem się gorzej niż wtedy, kiedy myślałem, że zobaczyłem ducha. Spojrzałem w dół i kompletnie mnie zamurowało. Na podłodze, przed naszymi drzwiami, siedziała babcia, nad nią schylała się mama, a o krok dalej stała Monika. Babcia ciągle krzyczała, a siostra trzymała w rękach coś ruchliwego. Od razu się domyśliłem, że to musiał być jeden z jej ulubieńców. I rzeczywiście, kiedy zszedłem na parter, okazało się, że to Kubuś, który skoczył na babcię, gdy tylko otworzyła drzwi. Akurat wtedy wróciły też mama i Monika. Mama próbowała właśnie uspokoić babcię, a Monika Kubusia.

Uśmialiście się? A wiecie, jak się skończyła cała ta nieszczęsna sprawa? Wypunktuję to, żeby wszystko było jasne.

Było tak:

1. Monika nie zamknęła lufcika. Potem nie wsadziła swoich szczurów do klatki i pomimo obietnicy danej mamie, zostawiła mnie samego i wyszła. Mama powiedziała, że to kompletny brak odpowiedzialności, że zabiera jej Kubusia i od dziś sama będzie się nim opiekować, bo Monice już nie ufa. Przynajmniej przez pewien czas.

2. Ja też wyszedłem z domu, chociaż miałem się nie ruszać, a nie było żadnego dowodu na to, że szczury uciekły na podwórko. Na dodatek nie zabrałem klucza.

A oto skutki:

1. Mama telefonowała i nikt nie odbierał. Zaniepokoiła się i wróciła do domu. W szpitalu musieli przerwać konsultację i bardzo zapracowani lekarze czekali, aż mama wróci.

2. Babcię boli serce, bo przestraszyła się Kubusia. A jej nie wolno się denerwować.

3. Mama straciła do nas zaufanie i nie wie, co powie tatuś, gdy wróci z delegacji. Musi minąć dużo czasu, zanim znowu nam zaufa.

4. A teraz najgorsze – nie ma Puchatka. Nie ma go już od paru dni. Nikt nie wie, co się z nim stało, i pewnie nigdy się tego nie dowiemy.

No i kto się śmiał, temu chyba zrobiło się smutno…

Joanna Krzyżanek

SPRAWIEDLIWOŚĆ, czyli PATYK, POLA, DWA SIEKACZE I DZIURKI W WAFLU

Baba, baba, ba – najczęściej słychać w naszym domu. To język, w jakim moja siostra Pola porozumiewa się z mamą, tatą i ze mną. Pola ma czternaście miesięcy i jest bardzo zabawna, szczególnie wtedy, gdy się śmieje, pokazując swoje dwa przednie górne zęby, czyli siekacze. Jej dzień dzieli się na czas jedzenia, gaworzenia, siusiania i spania. Bardzo ją kocham i myślę, że ona mnie też. Kiedy podchodzę do niej, uśmiecha się i łapie mnie za nos.

Nasza mama ma na imię Marysia i jest dyrektorką fabryki lamp. Tata jest aptekarzem – doradza ludziom, jaki syrop powinni wypić, kiedy męczy ich suchy kaszel, a jaki – kiedy mokry. A ja mam na imię Antek, ale wszyscy wołają na mnie Patyk, bo jestem chudszy od sosnowego patyczka. Pewnie myślicie, że straszny ze mnie niejadek. Nic podobnego. Jak mówi moja babcia, jem za dwóch i mam apetyt jak wilk. Może trudno w to uwierzyć, ale nawet

po zjedzeniu pięciu słusznej wielkości pierogów z kapustą i soczewicą proszę o dokładkę. Jestem uczniem klasy trzeciej. Mam dziewięć lat, prawie metr pięćdziesiąt wzrostu i trzech kumpli. Filipa, którego nazywamy Fąflem, bo sam nas o to prosił; Bartka, czyli Klepkę, któremu często musimy przyklejać plaster na usta, by przez jego gadulstwo nasze tajemnice nie stały się tajemnicami całego miasta, i Igora, czyli Szprychę, który potrafi z kupy złomu i dętek zrobić całkiem fajny rower.

Jeśli macie wolną chwilę, opowiem wam, co wydarzyło się przedwczoraj w domu rodziny Mazurków, czyli naszej. Był piątek, szesnasta piętnaście. Właśnie przechodziłem z moim ulubionym robotem do etapu szóstego, kiedy rozległ się głos mamy:

– Antosiu, gdy pokonasz szósty etap, przyjdź, proszę, do pokoju Poli.

– Mamo, nie mogę, bo po etapie szóstym będzie siódmy! – zawołałem oburzony. – To jeden z najważniejszych i najtrudniejszych.

– Komputer to nie zając – zaśmiała się mama i dodała jeszcze coś o tym, że wystarczy kliknąć na pauzę i wtedy siódmy etap poczeka.

Tak też zrobiłem. Kiedy robot stanął przed drzwiami do etapu siódmego, ja stanąłem przed drzwiami do pokoju siostrzyczki.

– Ale ona jest słodka… – powiedziałem, kiedy zahamowałem przed jej nóżkami.

– Gdyby jeszcze tak nie wierzgała – stwierdziła z westchnieniem mama, próbując umieścić nóżki Poli w rajstopach w paseczki. I dodała: – Pomożesz mi?

– Pewnie – odrzekłem i już po chwili Pola wyglądała jak kolorowa zebra.

Nadal jednak wierzgała i śmiała się tak, jakby ktoś łaskotał ją piórkiem.

– Antosiu, mam jeszcze jedną prośbę – usłyszałem, kiedy miałem zamiar powrócić do robota. – Możesz pobawić się z Polą? Muszę wysłać e-mail do projektanta nocnych lampek i zanieść pani Emilii jajka.

– Jasne, mamo – potwierdziłem, choć wiedziałem, że to opóźni przejście (moje i komputerowego robota) do siódmego etapu.

Ale przecież siostra jest ważniejsza od robota i nie można kliknąć, by na chwilę znieruchomiała. Każdy, kto ma małą siostrę lub brata, wie, że maluchy nawet pół minuty nie wysiedzą w jednym miejscu.

Kiedy mama wysłała e-mail do swojego projektanta w fabryce i przyszła od pani Emilii, myślałem, że pobiegnę do pokoju, w którym czekał na mnie robot zamknięty w komputerze. Tak się jednak nie stało, bo tym razem usłyszałem głos taty. Ojciec prosił o przyniesienie z komórki wiertarki i puszki z haczykami, bo chciał wkręcić w ścianę haczyki i zawiesić na nich miętę, którą zebrał w ogrodzie. Spełniłem prośbę. Haczyki weszły w ścianę jak w masło, zostały na nich zawieszone pęczki mięty, by stać się wkrótce suche jak pieprz, a ja odwróciłem się na pięcie, by powrócić do komputera. Na mojej drodze pojawiła się jednak kolejna przeszkoda – góra dojrzałych, pachnących truskawek w zielonym durszlaku, fartuch w grochy i mama.

– Jeśli pomożesz mi je obrać, to za chwilę zjemy bardzo smaczny podwieczorek – powiedziała mama. – Sernik jest już gotowy. Brakuje tylko sosu truskawkowego.

Choć zupełnie nie miałem ochoty na odrywanie zielonych czuprynek od truskawek, zgodziłem się pomóc. Sernik polany sporą porcją sosu był tak smaczny, że na kilka chwil zapomniałem o etapie siódmym i robocie. Ale tylko na kilka chwil.

– To ja wracam do robocika – oznajmiłem w końcu i już chciałem wycofać się do swojego pokoju, kiedy nagle wyrósł przede mną jak wielki borowik po deszczu cały mur próśb:

– Antosiu, możesz włożyć talerzyki do zmywarki?

– Zaniesiesz naszej sąsiadce kawałek sernika?

– Pomożesz mi umyć samochód?

– Pojedziesz ze mną do sklepu?

– Przyniesiesz Poli gumową kaczuszkę?

– Wyrzuć, proszę, obierki do kompostownika.

– Tak dłużej być nie może – wymamrotałem do siebie i poczułem, jak z każdą następną spełnianą prośbą powoli tracę cierpliwość.

Jej kres nadszedł, kiedy mama poprosiła, żebym zaniósł do kosza na śmieci pieluszkę Poli, która bynajmniej nie pachniała poziomkami. Wiem, że siostrzyczka jest najważniejsza, ale przecież ja i mój robot też jesteśmy ważni.

– W tym domu nie ma sprawiedliwości – poskarżyłem się rodzicom.

– Czego? – zapytał tata.

– Sprawiedliwości – powtórzyłem.

– Nie bardzo rozumiem – powiedziała mama, spoglądając raz na mnie, raz na tatę.

Przeczuwałem, że będę musiał zrobić krótki wykład o sprawiedliwości, więc nie czekając na kolejne pytania rodziców, stanąłem na stołku i wyjaśniłem:

– Uważam, że w naszym domu nie ma sprawiedliwości. Nawet tyle, co kot napłakał. Ja, Antek, musiałem dzisiaj pomóc mamie przy wkładaniu rajstop Poli, przynieść tacie wiertarkę i haczyki, obrać truskawki, włożyć talerzyki do zmywarki, zanieść sąsiadce kawałek sernika, pomóc umyć samochód, pójść do sklepu, przynieść Polci gumową kaczuszkę, umieścić obierki w kompostowniku i wynieść do kubła pieluszkę. Fąfel, Klepka i Szprycha nie muszą wrzucać do kubła pieluch, które śmierdzą!

– Bo siostra Fąfla ma trzynaście lat, brat Klepki już studiuje, a Szprycha jest jedynakiem – zauważyła spokojnym głosem mama.

W saloniku zapanowała cisza, jakiej w naszym domu nie było od dnia narodzin Poli.

– A dlaczego Pola nie pomaga? – przerwałem ciszę.

– Bo jest malutka – odpowiedziała mama. – Ma dopiero czternaście miesięcy.

– A ja mam dziewięć lat, trzy miesiące i dwadzieścia dwa dni – obliczyłem szybko – i chciałbym, aby w tym domu panowała sprawiedliwość. Chcę być traktowany identycznie jak moja siostra.

– Czy ty naprawdę chcesz być traktowany jak Pola? – zapytał tata.

– Tak – potwierdziłem z pełnym przekonaniem. – O niczym innym teraz nie marzę – dodałem.

Wyobraziłem sobie, że od tej chwili już nikt nie będzie niczego ode mnie chciał. Nie będę musiał grabić grządek, myć talerzyków i wrzucać gazet do pojemnika na makulaturę. Mama przyglądała mi się z zaciekawieniem. Chyba myślała, że żartuję, bo podeszła do mnie i spytała:

– Na pewno? Czy to nie będzie niesprawiedliwe, jeśli będziemy cię traktowali jak twoją młodszą siostrę?

– Ależ nie – odpowiedziałem stanowczo i pomyślałem, że za chwilę będę mógł pójść do mojego robocika.

– No dobrze, jeśli tak bardzo ci na tym zależy, to my się zgadzamy – stwierdził tata w imieniu swoim i mamy.

Nawet nie wiecie, jak szybko zacząłem żałować tej sprawiedliwości. Kiedy wszedłem do pokoju, zobaczyłem, że tata zabiera mój komputer.

– Tato, co ty robisz?! – wrzasnąłem.

– Wynoszę go – powiedział spokojnym głosem tata. – Sprawiedliwość – mruknął jeszcze pod nosem i wyszedł z mojego pokoju wraz z monitorem, klawiaturą i komputerem z robotem, który nie przeszedł do siódmego etapu.

Byłem tak zaskoczony, że nie potrafiłem nawet protestować.

– To dla ciebie, synku – uśmiechnęła się mama, ustawiając w moim pokoju pudło z dużymi kolorowymi klockami, tęczową piłeczką i wielkim pluszowym misiem.

Poczułem się gorzej niż wtedy, gdy kumple znaleźli w mojej torbie grzechotkę Poli. Nie wiedziałem jednak, że to dopiero początek mojej wymarzonej sprawiedliwości. Nie mogłem po podwieczorku pójść na boisko, gdzie czekali na mnie Fąfel, Klepka i Szprycha. Na kolację dostałem jakąś papkę zamiast moich ulubionych kanapek z pasztetem z warzyw i plastrami sera, a do picia mleko zamiast soku pomarańczowego. Najgorsze nadeszło po kolacji. Najpierw była kąpiel. Powiecie, że nie ma w tym nic złego, bo przecież pluskanie się jest takie przyjemne. Może i tak, ale nie wtedy, kiedy zamiast płynu, dzięki któremu powstają Himalaje piany, wlewasz do wody jakiś pachnący olejek, który na ciele zostawia tłustą warstewkę, a zamiast Batmana w wannie pływa gumowa kaczka i siedem gumowych kaczątek.

Po kąpieli zostałem otulony szlafrokiem w pajacyki i poczłapałem na kanapę. Jedno naciśnięcie na zielony przycisk na pilocie i przed moimi oczami pojawił się Scooby Doo. Wtedy na moment zapomniałem o moim wieczornym nieszczęściu.

– Gdzie są moje chrupki? – zdążył zapytać Scooby, zanim świnka Peppa nie zajęła jego miejsca, oświadczając:

– Jestem świnka Peppa, chrrrr. To mój mały brat George, chrrrr. To mama świnka, chrrrr, a to tata świnka, chrrrr!

„To się nie dzieje naprawdę – pomyślałem. – Oglądam na dobranoc bajkę dla maluchów".

– Hi, hi, hi! – zaśmiała się Polcia na widok rodziny różowych stworzonek. Śmiała się tak, że aż podskakiwała jej grzywka.

– Sprawiedliwość – mrugnęła do mnie mama.

– No, dzieciaki, pora spać – oznajmił tata, kiedy skończyła się bajka o świnkach.

– Tato, chyba nie myślisz o mnie. Jest dopiero dwadzieścia minut po dziewiętnastej – oburzyłem się.

– To nie ja domagałem się równych praw dla Poli i siebie – rzekł poważnym tonem tata.

Co mogłem zrobić... Poczłapałem do sypialni tak wolno, jakbym był najwolniejszym ślimakiem na świecie, w dodatku takim, na którym siedzi tłusta kaczka.

– No nie, to już przesada! – zawołałem, wchodząc do pokoju.

Moja pościel nie wyglądała już jak wspaniały gwiazdozbiór, ale jak zebranie kolorowych misiów, a piżama jak śpiochy dla malucha. Dobrze, że Fąfel, Szprycha i Klepka tego nie widzieli. Chyba pękliby ze śmiechu.

– Dobranoc, synku – powiedziała mama.

– Dobranoc, mamo – odpowiedziałem i zacząłem liczyć niedźwiadki na kołdrze.

Przez chwilę miałem wrażenie, że wszystkie się ze mnie śmieją. Pewnie po raz pierwszy w swoim życiu widziały dziewięciolatka kładącego się o wpół do ósmej do łóżka.

Przez pół nocy wierciłem się i przewracałem z boku na bok. W końcu zasnąłem. O poranku przeciągnąłem się trzy razy w lewą stronę, cztery w prawą i otworzyłem oczy.

– Aaaaaaa! – wrzasnąłem na widok kołdry w misie.

Miałem nadzieję, że wczorajszy wieczór mi się przyśnił, ale niestety, nie. Musiałem więc zacząć działać, by powróciła wcześniejsza sprawiedliwość. Tak szybko, jak tylko potrafiłem, pobiegłem do kuchni.

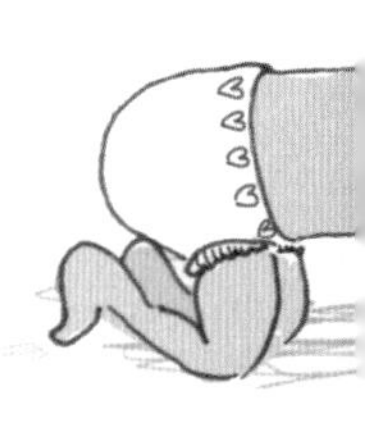

– Dzień dobry, synku! – przywitała mnie mama.

– Kaszka z sokiem malinowym czy truskawkowym? – spytał tata.

– Grzanka z sadzonym jajkiem i plastrem mojego ulubionego żółtego sera – wyrzuciłem z siebie jednym tchem i dodałem, że wycofuję prośbę, by traktowano mnie tak samo jak Polę.

– Uf! – odetchnęli z ulgą rodzice. – Całe szczęście, bo już się martwiliśmy, skąd weźmiemy wózek, żeby pojechać na piknik, jeśli nadal będziesz chciał, abyśmy traktowali cię jak Polcię.

Po obiedzie całą rodziną wybraliśmy się na szkolny piknik. Dyrektor przywitał wszystkich swoim donośnym głosem i życzył miłej zabawy. Najpierw robiliśmy szałasy z gałęzi i szarego płótna, potem rozłożyliśmy koce obok szałasów i jedliśmy rogale z jabłkami. Wtedy rozległ się aksamitny głos naszej nauczycielki, pani Małgosi Kwiatek:

– Moi drodzy, czas na waflowy konkurs. Każda rodzina musi wykonać jeden obrazek z wafla. Nie można go rysować ani malować… Trzeba go wygryźć – wyjaśniła i każdej rodzinie wręczyła kilka dużych wafli.

No i zaczęło się wielkie chrupanie i wygryzanie. Po piętnastu minutach wszystkie rodziny miały już swój obrazek. Tylko nie nasza, bo okazało się, że tato wygryzł coś, co można było nazwać waflową klapą, mama chciała wygryźć różę, ale wyszedł jej rozpłaszczony pomidor, a moja piłka z wafla była kanciasta i popękana.

Tata stwierdził, że nie mamy szans w konkursie, bo nasze zęby nie potrafią tworzyć dzieł sztuki. Wówczas rozległo się głośne „baba". To była Pola, która swoimi siekaczami wygryzła w waflu dziurki. Potem kilkoma chrupnięciami nadała obrazkowi ostateczny kształt.

– Ser z dziurami! – zawołała mama i poprosiła mnie, bym szybko zaniósł nasze dzieło piknikowej komisji.

Narada trwała kilka minut.

– Mamy przyjemność ogłosić wynik… – zaczął dyrektor.

– …pierwsze miejsce w waflowym konkursie zajęła rodzina Mazurków – dokończyła nauczycielka.

– Moja siostrzyczka to prawdziwa artystka – pochwaliłem się później przed Szprychą, Fąflem i Klepką.

– Nie ma sprawiedliwości – powiedział Fąfel.

– Nie ma – potwierdził Szprycha. – Gdybyśmy mieli takie siostrzyczki…

– Co wy wiecie o sprawiedliwości – zaśmiałem się i pomyślałem, że bardzo kocham Polę. Nie tylko za to, że wygryzała dziurki na miarę pierwszej nagrody.

Liliana Fabisińska

PRZYJAŹŃ, czyli O DŁUGICH ROZMOWACH ZA POMOCĄ LATAREK I KREDEK

Dlaczego wyjechałyśmy tak późno? – narzekała Hania, ukrywając twarz w dłoniach.

– Przecież to ty grzebałaś się pół godziny z jedzeniem śniadania, a potem zabrudziłaś białą bluzkę pastą do zębów! – Mama też była zdenerwowana.

Mocno ściskała kierownicę i mówiła wysokim głosem, który pojawiał się tylko w takich chwilach. Jednak tak naprawdę to nie była ani wina Hani, ani jej mamy. Winny był korek. Gigantyczny korek, wijący się po maleńkich osiedlowych uliczkach.

– Mieszkam tu od dwunastu lat, a czegoś takiego jeszcze nie widziałam – jęczała mama, wbijając palce w kierownicę.

– Może pójdziemy pieszo? – podsunęła Hania. – Szkoła jest przecież tuż za rogiem.

Gdyby nie ulewny deszcz, wcale nie brałyby samochodu. Ale kto chciałby przyjść na rozpoczęcie roku szkolnego z mokrymi włosami, ochlapany błotem aż po pas? Nikt, prawda? Hania i jej mama też nie miały na to ochoty i dlatego właśnie jechały autem.

– Chyba wszyscy wpadli na ten sam pomysł – westchnęła mama. – Zobacz, nie ma ani jednego miejsca do parkowania. Ani jednego!

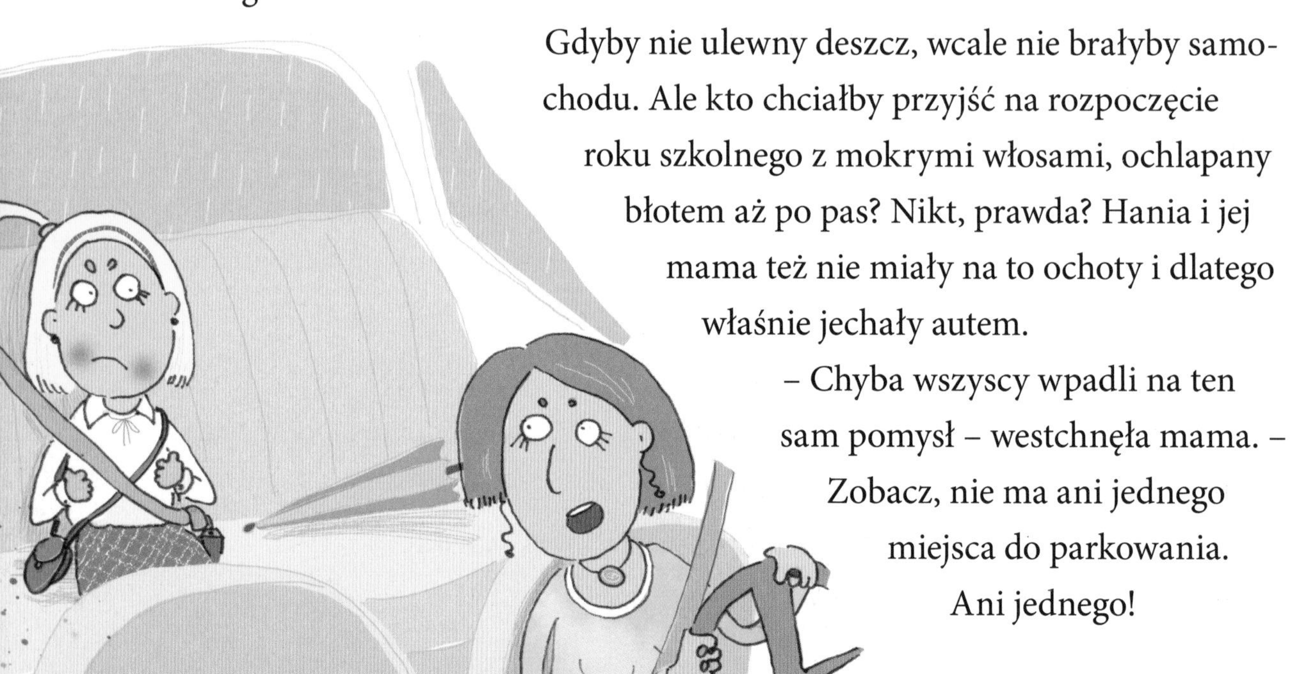

Wreszcie, okropnie spóźnione, dojechały pod budynek szkoły. Nikt nie kręcił się przy wejściu, nikt nie biegał, omijając kałuże…

– Jesteśmy ostatnie. – Hania czuła, że łzy płyną po jej policzkach dwoma równymi strumyczkami.

– Jeszcze nie jesteśmy – przypomniała jej mama. – Wciąż nie mamy gdzie zaparkować.

Dwadzieścia pięć minut później, po przejechaniu kolejnego kółka wokół szkoły, mama zahamowała przed samą bramą.

– Biegnij – rzuciła do córki. – Ja przyjdę, jak tylko zaparkuję. Biegnij, nie bój się. Przy wejściu na pewno będzie pani woźna. Poproś, żeby zaprowadziła cię do sali gimnastycznej. A jeśli uroczystość już się skończyła, to do klasy. Do Ib.

– Do Ib – powtórzyła Hania, wyskakując z samochodu prosto w ogromną kałużę. – Nie martw się, mamusiu, na pewno sobie poradzę.

– Parasolka! Weź parasolkę! – krzyknęła za nią mama, ale dziewczynka nie usłyszała.

Biegła ile sił w nóżkach, w strugach deszczu, rozbryzgując kałuże na wszystkie strony. Jej białe rajstopki były całe poplamione błotem, w bucikach chlupała woda, włosy pozlepiały się w mokre strąki. Ale jakie to miało znaczenie? Najważniejsze, że wreszcie była w szkole!

Akademia z okazji rozpoczęcia roku dawno się skończyła. Dzieci poszły już do swoich klas. Na szczęście jakiś miły pan od razu wskazał Hani drogę do Ib.

Dziewczynka nieśmiało uchyliła drzwi. Przy tablicy stała szczupła kobieta w spódniczce w kropki i odczytywała listę. Uczniowie po kolei wstawali z miejsc i witali się z nowymi kolegami.

– Kamil Czajkowski. – Pani przeczytała kolejne nazwisko zapisane w dzienniku. Chłopiec najwyraźniej siedział z tyłu sali, bo Hania nie widziała go przez szparę w drzwiach. Otworzyła je trochę szerzej. Skrzypnęły przeciągle.

Nauczycielka podniosła wzrok i uśmiechnęła się na widok Hani.

– Dzień dobry, siadaj, proszę. Tu, koło Matyldy, jest jeszcze wolne miejsce.

Hania usiadła posłusznie, obserwując ukradkiem dziewczynkę, z którą miała dzielić ławkę. „Wszyscy inni mają już parę... Tylko z tą Matyldą nikt nie chciał siedzieć! – pomyślała. – Przez to moje głupie spóźnienie została dla mnie najgorsza dziewczynka w klasie".

– To najfajniejsza dziewczynka w klasie! – mówiła Hania do swojej mamy tydzień później.

A po kolejnych trzech tygodniach, dzieląc się z Matyldą na dużej przerwie swoją kanapką, powtarzała:

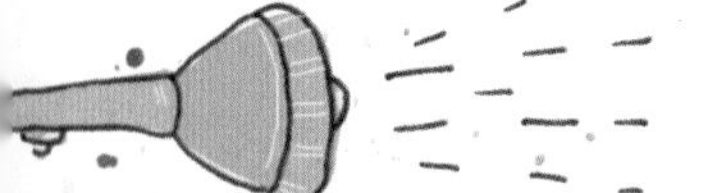

– Jak to dobrze, że się wtedy spóźniłam! Jak dobrze! Gdybym przyszła punktualnie, pani na pewno posadziłaby mnie gdzieś z tyłu, wśród wysokich dzieci. I może nigdy byśmy się nie zaprzyjaźniły!

– Nie znoszę korków, ale ten naprawdę nam pomógł – kiwała głową Matylda, obierając banana i podając połowę przyjaciółce.

Od pierwszego dnia były nierozłączne. Spędzały razem każdą przerwę. Po lekcjach wspólnie bawiły się w szkolnej świetlicy. A wieczorem...

– Niesamowite, że mieszkamy tak blisko. W sąsiednich blokach! Naprawdę mamy szczęście! – mówiła Hania zawsze, gdy żegnały się przed klatką schodową.

Wiedziała już, oczywiście, że Matylda wprowadziła się na to osiedle dopiero w czasie wakacji. Akurat wtedy, kiedy Hania była z babcią nad morzem.

– Szkoda, że nie mogłam obserwować przez okno, jak wszystkie wasze meble przyjechały wielką ciężarówką i jak tragarze wnosili je po schodach – mówiła czasami.

– Wiesz, ile to trwało? Stałabyś w kuchni całymi godzinami – śmiała się Matylda.

Kuchenne okno Hani wychodziło na małe, łazienkowe okienko w mieszkaniu jej przyjaciółki. Co wieczór, po kąpieli, dokładnie o dwudziestej trzydzieści Matylda gasiła światło, wspinała się na taboret i dawała Hani znaki latarką. Jedno mrugnięcie oznaczało: „Idę obejrzeć bajkę", dwa: „Idę spać", a trzy: „Muszę ci powiedzieć coś ważnego". Hania stała w ciemnej kuchni i odpowiadała jej swoją latarką w identyczny sposób. Zwykle puszczała dwa błyski, czasami jeden. Aż do końca września żadna z nich nie zaświeciła latarki trzy razy. Wieczory w ich domach nie obfitowały najwyraźniej w ważne wydarzenia. Aż do ostatniego wtorku, gdy światło błysnęło raz...

„Oglądasz bajkę?" – odgadła Hania.

Dwa...

„A, nie, idziesz już spać!" – poprawiła się.

I trzy!

„Ważna wiadomość! Masz dla mnie ważną wiadomość?!" – Dziewczynka zaczęła skakać po kuchni. – Co to takiego?".

W łazience Matyldy zapaliła się lampa, a po chwili przyjaciółka znów wdrapała się na taboret, z wielką kartką w dłoni. Przyłożyła papier do szyby.

– Co? Nie widzę, co tam napisałaś! – denerwowała się Hania. – Nic nie widzę!

Wytężała wzrok, przyklejała nos do okna, ale bez skutku. W końcu postanowiła poprosić o pomoc.

– Tatusiu, mogę wziąć twoją lornetkę? – zapytała.

– Lornetkę? Co ty będziesz oglądała po ciemku? – zdziwił się tata. – Niewiele zobaczysz, ale skoro chcesz... Poczekaj, poszukam jej, powinna być w którejś szufladzie...

Zanim tata znalazł lornetkę, nieużywaną od poprzednich wakacji, minęło dziesięć minut. A może i piętnaście? Hania wróciła biegiem do kuchni, ale na próżno. W łazience na trzecim piętrze sąsiedniego bloku było już całkiem ciemno. Matylda najwyraźniej zeszła ze stołeczka, zabierając tajemniczą kartkę. Hania musiała poczekać do rana.

Rano jednak nic się nie wyjaśniło. Wprost przeciwnie – wszystko stało się jeszcze bardziej tajemnicze i dziwaczne. Matyldy bowiem nie było w szkole.

„Może się spóźni" – myślała Hania początkowo, patrząc na puste miejsce obok siebie. „Może zaspała...".

Minęła pierwsza lekcja, potem druga, trzecia... Wreszcie nadeszła duża przerwa i Hania po raz pierwszy musiała zjeść obiad w szkolnej stołówce sama.

– Smakowała ci zupa? – zapytała pani kucharka, podając jej drugie danie.

Hania spojrzała na nią zdumiona. Nie miała pojęcia, jaką zupę jadła. Nie czuła smaku. Bardzo martwiła się o przyjaciółkę. A pierogi, które pachniały tak apetycznie, jeszcze bardziej popsuły jej humor. To przecież ulubione danie Matyldy. Zwykle Hania oddawała jej jednego lub dwa ze swojej porcji. Matylda, chuda jak patyczek, większości potraw nie lubiła, ale pierogów mogła zjeść nawet dziesięć. Po prostu za nimi przepadała.

„Może wezmę dla niej chociaż jednego, na później?" – zastanawiała się Hania. „Schowam, na wszelki wypadek... gdyby przyszła do szkoły na ostatnią lekcję".

Wiedziała jednak, że nie wolno wynosić niczego ze stołówki. Zresztą nawet ktoś, kto lubi pierogi tak bardzo jak Matylda, nie chciałby chyba jeść ich zimnych, leżących od kilku godzin w tornistrze...

Hania westchnęła ciężko i zjadła wszystko, co miała na talerzu.

Godziny w świetlicy ciągnęły się jak nigdy. Hania w napięciu wpatrywała się w zegar wiszący na ścianie. Czyżby się zepsuł? Wskazówki niemal się nie poruszały!

– Tęsknisz za Matyldą? – odgadła pani Lusia, kierowniczka świetlicy. – Cóż, będziesz musiała znaleźć sobie jakieś zajęcie. Może coś pokolorujesz? Albo pobawisz się z dziewczynkami z drugiej klasy? Przecież twojej przyjaciółki nie będzie przynajmniej przez dziesięć dni.

– Dziesięć dni??? – Oczy Hani otworzyły się szeroko ze zdumienia.

– Nie wiesz o jej chorobie? – Teraz to pani Lusia była zdziwiona. – Myślałam, że cię zawiadomiła...

– Zawiadomiła – przytaknęła dziewczynka. – Tylko ja nie do końca zrozumiałam tę wiadomość.

– Nie mam numeru do rodziców Matyldy. – Mama Hani przeglądała listę telefonów w swojej komórce, a potem notesik, strona po stronie. – Gdzieś go zapisałam, ale nie mam pojęcia gdzie!

– W takim razie musimy iść do jej domu. – Hania nie mogła wytrzymać ani chwili dłużej. – Muszę się dowiedzieć, co się stało!

– Pójdziemy, jak tylko odrobisz lekcje – obiecała mama.

Hania westchnęła ciężko. Wiedziała, że mama nie zmieni zdania. Rodzice uważali, że nie ma nic ważniejszego niż praca domowa. Trzeba było zacisnąć zęby i zrobić trzy zadane na jutro ćwiczenia.

Zanim jednak Hania usiadła przy biurku, rozległo się pukanie do drzwi.

Na progu stała mama Matyldy.

– Nie wiem, jak to możliwe, ale nie zapisałam nigdzie numeru do państwa – powiedziała, uśmiechając się przepraszająco.

A mama Hani, śmiejąc się, zaczęła tłumaczyć, że jej przydarzyło się dokładnie to samo.

– Co się stało Matyldzie? – Hania przerwała tę miłą rozmowę. Wiedziała, że nie wolno tego robić, ale naprawdę nie mogła już wytrzymać.

– Ospa – wyjaśniła krótko mama jej przyjaciółki. – Wczoraj wieczorem pojawiły się pierwsze kropeczki, a dziś... dziś Matylda wygląda jak mała biedroneczka. Ma gorączkę i czuje się okropnie. Ale cały czas mówi tylko o jednym: że Hania na pewno się o nią martwi.

– Pewnie, że się martwię! – Hania nie mogła powstrzymać łez. – Cały wieczór myślałam, co ona mi chciała pokazać przez okno.

– Przez okno? – Mama uniosła wysoko brwi.

– Nieważne... – Dziewczynka przypomniała sobie, że sygnały wysyłane co wieczór miały być tajemnicą. – To znaczy, Matylda coś napisała albo narysowała na kartce, pokazywała mi ją, ale nie widziałam, co na niej jest, no i...

– Wielka kartka, cała w kropki – roześmiała się mama Matyldy. – Znalazłam ją dziś rano i nie miałam pojęcia, skąd się wzięła. A moja córeczka odma-

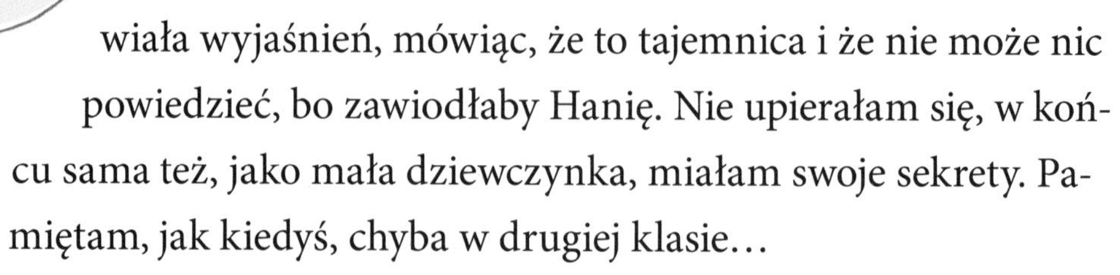

wiała wyjaśnień, mówiąc, że to tajemnica i że nie może nic powiedzieć, bo zawiodłaby Hanię. Nie upierałam się, w końcu sama też, jako mała dziewczynka, miałam swoje sekrety. Pamiętam, jak kiedyś, chyba w drugiej klasie...

W innej sytuacji Hania chętnie posłuchałaby tej opowieści. Ale teraz musiała, po prostu musiała, znowu przerwać mamie Matyldy.

– Czy ja mogę się z nią zobaczyć? – zapytała.

– Nie ma mowy – odpowiedziały obie mamy zgodnym chórem.

A potem mama Hani wyjaśniła dokładniej:

– Ospa to choroba zakaźna. Nigdy na nią nie chorowałaś. Oczywiście, możliwe że Matylda zaraziła cię już kilka dni temu. Ospa rozwijała się w jej ciele, a ona nic o tym jeszcze nie wiedziała. Ale na wszelki wypadek... Na wszelki wypadek nie będziesz się z nią spotykać przez kilka albo nawet kilkanaście dni, dopóki te kropeczki nie przyschną.

– Kilkanaście dni? – Hania nie mogła w to uwierzyć. – Jak my wytrzymamy?

– Wytrzymacie – roześmiał się tata, wchodząc do pokoju. – Możecie wciąż wysyłać sobie te sygnały latarkami...

– Skąd wiesz o naszych sygnałach? – zdziwiła się Hania.

Tata puścił do niej oko:

– Już trzeci raz w tym miesiącu wymieniam baterie w latarce. I będę je wymieniał nadal, nie martw się. Machajcie sobie z Matyldą tymi latarkami, ile chcecie. A poza tym możecie do siebie dzwonić, no i pisać listy...

– Jesteśmy w pierwszej klasie, jeszcze nie umiemy dobrze pisać – przypomniała mu Hania.

– Ja pierwszy list napisałem jeszcze w przedszkolu – uśmiechnął się tata. – Do Świętego Mikołaja, z prośbą o psa. Składał się prawie z samych rysunków, ale jakimś cudem Mikołaj od razu zrozumiał, o co mi chodzi.

– Spróbuję zrobić tak samo! – postanowiła Hania i pobiegła po kredki i słowniczek, który dostała od babci.

Przez dwanaście długich dni Hania i Matylda wymieniały listy. Kolorowe, pełne rysunków i krzywo napisanych słów. Czasami rodzice biegali z przesyłkami nawet dziesięć razy dziennie.

– Pomożesz mi napisać „Tęsknię za tobą!"? – poprosiła Hania tatę po tygodniu.

– Poczekaj, schowam tylko zakupy do lodówki – usłyszała.

Dziewczynka nie chciała jednak czekać. Usiadła przy biurku, zajrzała kilka razy do słowniczka, napisała na brudno dwie albo trzy wersje tego zdania i w końcu wybrała jedną, wyglądającą według niej najlepiej.

– Brawo, córeczko! Napisałaś to sama, całkiem bezbłędnie! – Tata stał za jej plecami, uśmiechnięty od ucha do ucha. – Wasza pani na pewno zauważy, że choroba Matyldy doskonale wpłynęła na wasze umiejętności rysowania i pisania. Może teraz ty powinnaś iść na zwolnienie?

– O nie! – Hania potrząsnęła głową. – Lubię nasze listy… Ale, tatusiu, ja już nie mogę się doczekać spotkania z Matyldą!

– Zobaczycie się w niedzielę albo w poniedziałek – powiedziała mama, przynosząc kolejny liścik i białą kopertę. – A póki co… Wiesz, Matylda dostała od dziadków bilety do teatru, na „Kopciuszka". Zamierzała iść z mamą, na pewno ci opowiadała.

– Tak! – przypomniała sobie od razu Hania. – Bardzo się cieszyła, to jej ulubiona bajka.

– No właśnie… Ale spektakl jest jutro, a ona nie może iść. Więc daje nam te bilety i prosi, żebyś poszła ze mną albo z tatą. Masz ochotę?

– Oczywiście, ale… Ale to jej bilety! – Hania zagryzła usta. – Nie mogę tego zrobić. To byłoby nie fair. Nie idę, skoro ona nie idzie.

– Przeczytaj list – uśmiechnęła się mama, podając córce kolorową kartkę.

Były na niej narysowane dwie dziewczynki. Jedna jasnowłosa – to na pewno Hania. A druga z ciemnymi kucykami – to oczywiście Matylda. Między nimi wielkie serce, a pod spodem napis: „Chcę, żebyś poszła!!! Baw się dobrze!".

– Bezbłędnie napisane. – Mama pokiwała głową, gdy Hania pokazała jej list. – I jak mądrze… Bo przecież przyjaciele chcą dla siebie jak najlepiej. Matylda pragnie, żebyś zobaczyła „Kopciuszka", skoro ona nie może. Będzie się cieszyć twoją radością.

– I nie będzie jej przykro? Albo smutno? – zdziwiła się Hania. A potem, po chwili zastanowienia, powiedziała: – Mnie też by nie było. W końcu to moja przyjaciółka. Cieszyłabym się, że robi coś fajnego. Tak, jak cieszę się, kiedy Matylda jest najszybsza podczas szkolnych zawodów albo najlepiej czyta na głos. Po prostu… po prostu lubię, kiedy coś jej się udaje. I czuję się trochę tak, jakby to mi się udało szybko pobiec albo dobrze przeczytać. To dziwne, prawda?

– Nie. To zupełnie normalne – powiedziała mama poważnie. – Normalne… między prawdziwymi przyjaciółmi.

Marcin Przewoźniak

MIŁOŚĆ, czyli NIC TAKIEGO SIĘ NIE STAŁO

Mati nie lubił taty. To znaczy, gdyby ktoś zapytał Matiego, czy lubi swojego tatę, usłyszałby odpowiedź: „Nie!". Jeśliby zaś zapytał, dlaczego tak jest, zapewne zapadłoby długie milczenie.

Nic dziwnego. Nie jest łatwo wyjaśnić coś takiego. Bo po pierwsze to, że tata jest, to raczej dobrze. Po drugie, chyba trzeba go kochać, bo jest rodzicem, a rodziców się kocha tak po prostu. Po trzecie, tata czasami przydaje się do pomocy.

Jednak trudno nie zauważyć, że tata Matiego mógłby być lepszy. Taki, wiecie, bardziej przyjazny. I gdyby tak jego miejsce zajął całkiem inny tata, to być może życie stałoby się łatwiejsze.

No dobrze, jednak pytanie wciąż pozostawało bez odpowiedzi. Dlaczego Mati nie lubił taty? Bo tata krzyczał, bo się czepiał, bo ciągle wymagał, nawet gdy było to zupełnie zbędne. Bo wciąż był z syna niezadowolony. Ciągle! Wiecznie! Codziennie! I dawał mu to odczuć. Dlatego. Tak. Dlatego Mati go nie lubił. Bo bez przerwy musiał się starać, żeby tata zechciał zauważyć, że jego syn nie jest taki beznadziejny, jak się tacie wydaje!

A poza tym to tata chyba też nie lubił Matiego. Skoro tak się zachowywał… No nie?

Dlaczego mama Matiego potrafiła być inna? Bardziej wyrozumiała, łagodna. Z nią było o wiele fajniej. „Mamę kocham na pewno" – myślał Mati. – A taty to nawet nie lubię".

Gdy Mati i jego najlepszy kolega Paweł wracali ze szkoły, wreszcie mogli się nagadać do woli. Nikt im nie przeszkadzał, nie podsłuchiwał, nie wtrącał się, jak to zwykle bywało na przerwach. Mieli zupełny spokój, ponieważ tak się złożyło, że reszta chłopaków z klasy mieszkała po przeciwnej stronie osiedla. Za szkolną furtką w lewo, w stronę kiosku i żółtego pawilonu z kafelkami zawsze szli tylko oni dwaj: Mati i Paweł.

„I nawet teraz, kiedy mogę pogadać z kumplem, muszę zmyślać. Znowu wszystko przez tatę!" – powtarzał sobie w myślach rozgoryczony Mati.

Rzeczywiście, nie przesadzał. Było tak:

Paweł opowiadał, że spędził z rodzicami wieczór w kinie. Na to Mati pochwalił się, że tata zabrał go na tor kartingowy, gdzie można wypożyczyć smrodzącą wyścigówkę wielkości kosiarki i pruć po pełnej zakrętów trasie.

– No i jak!? Ile wyciąga? Ile razy wygrałeś? – Pawłowi z wrażenia zaiskrzyło w oczach.

– Facet z obsługi mówił, że tylko trzydzieści na godzinę, ale wiesz co? Kiedy już zasuwasz, to tak jakbyś gnał mustangiem w „Need for Speed" na PSP – emocjonował się Mati. – A na zakrętach czujesz prawdziwe przeciążenie! No i wygrałem... – tu Mati chwilę się zawahał – ...pięć razy na sześć startów. Mówię ci, było super! A jak wracaliśmy, to tata prowadził nasz samochód jak gokarta i znowu czułem się jak na torze!

– Muszę namówić rodziców, żeby mnie tam zabrali – westchnął Paweł. – Ty! A może pójdziemy tam razem? Zrobimy własne zawody!

Matiemu pomysł się nie spodobał, ale oczywiście nie dał tego po sobie poznać. Bo tak naprawdę cała ta historia wyglądała zupełnie inaczej i wcale nie było super. Wygrał tylko jeden start, w dodatku z jakimś pięciolatkiem, któremu nie wychodziło branie zakrętów. Przegrał za to wszystkie wyścigi z tatą i z innymi chłopakami.

Najgorsze było jednak coś innego: dogadywanie taty, jego krytykowanie, komenderowanie i pouczanie, jak ma jechać, słowem, pełna kompromitacja, i to na oczach jakichś obcych dzieciaków. Oczywiście to nie koniec. Tata jeszcze przez całą drogę do domu pouczał Matiego, że powinien sobie lepiej poradzić, że powinien być sprytniejszym kierowcą i w ogóle, że spodziewał się po nim czegoś więcej.

Już lepiej było zostać w domu...

To dlatego Mati musiał opowiedzieć Pawłowi bardziej optymistyczną wersję wydarzeń. Totalna porażka.

„A może ja jestem jakiś gorszy?" – myślał Mati, kiedy pożegnał kolegę. „Może tata ma rację? Nie daję z siebie wszystkiego... Nie staram się? Guzik prawda! Staram się, jak mogę! Już sam nie wiem, czy można bardziej... To nie moja wina. To tata się czepia, bo mnie nie lubi. Pewnie wolałby mieć jakiegoś innego synka! To niech sobie znajdzie!" – buntował się w myślach.

Był tak zły, że wyleciała mu z głowy reszta pretensji. Na przykład o to, że tata nie tolerował trójek oraz czwórek z minusami. Dlatego Mati musiał się bardziej przykładać do nauki, staranniej odrabiać prace domowe (tata kazał mu nawet przepisywać nabazgrolone fragmenty! Zgroza!), w ogóle wiedzieć więcej niż inni. Z tego powodu Mati miał prawie same piątki. Przynajmniej lubili go za to nauczyciele. Chociaż jeden plus tej sytuacji. Ale cała reszta była całkiem, ale to całkiem do kitu!

Tego samego dnia, gdy mama wróciła z pracy, poinformowała rodzinę, że ma pilne tłumaczenie na jutro i wszyscy mają dać jej święty spokój.

– A wy, chłopaki, wypełnijcie lodówkę według listy! – oznajmiła i zabarykadowała się w sypialni z notebookiem i stertą słowników hiszpańsko-polskich.

Tata pokiwał głową, powiedział:

– Chodź Mati, zrobimy zakupy! – I pojechał z synem do supermarketu.

Właściwie to nie było tak źle. Tata tylko raz ofuknął Matiego, że jak zwykle nie odróżnia oliwy od oleju, choć jako syn hiszpańskojęzycznej mamy powinien umieć odczytać takie informacje z etykiety. Wracali już przez parking, pchając wypakowany wózek, gdy nagle jakiś facet, który siedział w samochodzie zaparkowanym wzdłuż alejki, otworzył drzwi. Pewnie chciał wysiąść. Niestety, nie zauważył, że właśnie go mijali, i drzwi z rozmachem palnęły w wózek.

– O kurczę! Nic się nie stłukło!? – zainteresował się Mati, którego nagła kolizja trochę przestraszyła, ale i rozbawiła.

Będzie o czym opowiadać chłopakom: stłuczka wózkiem! Nieźle.

– Mógłby pan uważać – rzucił ostro tata do faceta, który pochylał się nad drzwiami. – O mało nie uderzył pan mojego syna. W ogóle nie powinien pan tutaj parkować!

Facet wyprostował się. Był łysy, trochę wyższy od taty i miał bardzo złą twarz. Takie same zawzięte, złośliwe gęby mieli chuligani w dresach, którzy czasami robili nocne burdy na osiedlu.

– Ty – i tu padło bardzo brzydkie słowo – zarysowałeś mi lakier! – powiedział złowrogo, robiąc krok w kierunku taty.

Tata upewnił się, że Mati stoi w bezpiecznej odległości i wycelował w faceta wskazujący palec.

– Po pierwsze nie używaj przy moim synu przekleństw, po drugie sam sobie zarysowałeś. Trzeba było uważać – odpowiedział.

W tym czasie z auta wysiadło jeszcze dwóch podobnych gości, co prawda nieco mniejszych i z włosami, ale też nie wyglądali zbyt przyjemnie.

– Tato…? – spytał cicho Mati, któremu serce zaczęło walić w tempie komputerowej strzelanki.

Teraz wszyscy trzej faceci naparli na tatę. Wrzeszczeli, pokazując na paskudnie zarysowane drzwi, domagali się pieniędzy i oczywiście co chwilę powtarzali to swoje brzydkie słowo.

Mati był śmiertelnie przerażony. Wiedział, że tata umie się bić. W zeszłym roku w wakacje poradził sobie z takim jednym, który zaczepiał mamę. Ale tu… tu było trzech prawdziwych łobuzów!

– Tatooo… Tato, chodźmy! – Mati nie poznawał swojego głosu. Był jakiś taki… dziecięcy. Albo jeszcze gorzej: dzieciaczkowaty!

– Żadne „chodźmy"! Najpierw kasa! – darł się łysy, chwytając tatę za koszulę.

Tata zręcznie odtrącił jego ramię, wrzasnął:

– Chwila! Spokój mi tu! – To facetów zdziwiło i na moment zastopowało, a tata pochylił się ku Matiemu, wsunął mu w dłoń kluczyki od samochodu i szepnął: – Idź spokojnie do auta, wskakuj do środka i zablokuj drzwi. Ruchy, synu! – Po czym zmierzwił mu pieszczotliwie włosy na głowie, odwrócił w miejscu i lekko pchnął naprzód.

Mati obejrzał się lękliwie, zobaczył, że tata uśmiecha się do niego i pogania ruchem głowy. – Idź, synu, ja mam tu do pogadania! – dodał na głos, nie przestając się uśmiechać.

Przerażony, skołowany i rozpaczliwie samotny Mati pobiegł posłusznie przez parking. Zostawił tatę z wózkiem pełnym zakupów i trzema oprychami. Za plecami usłyszał podniesione głosy i przekleństwa.

Chłopiec dobiegł do samochodu, nacisnął guzik na pilocie i po sekundzie siedział już w bezpiecznym, przestronnym wnętrzu auta, na które rodzice odkładali chyba ze dwa lata. Na policzkach poczuł łzy strachu i złości. „Jak wezwać pomoc?! Może komórka taty leży w schowku?" – myślał gorączkowo. Otworzył skrytkę w podłokietniku, potem schowek, zajrzał do kieszeni w drzwiach. Nic. Tata przecież nigdy nie zostawiał telefonu w aucie, żeby go ktoś nie ukradł.

„Tato! Tato! Co mam robić!?" – wołał do siebie Mati i czuł, że zaraz tak się rozryczy, jak nie rozryczała się nawet największa płaksa w całej szkole.

Co się działo z jego tatą!? Co powinien zrobić?! Mijały minuty, a chłopiec bezsilnie walił pięściami w fotel, nie umiejąc wymyślić nic sensownego. Tata potrzebował pomocy. Mati nie mógł przecież stracić swego taty...

Ale zaraz, co to leżało tam w schowku? No jasne! Po tamtym wakacyjnym incydencie, kiedy tata przylał natarczywemu bałwanowi, mama kupiła paralizator elektryczny. Woziła go w schowku, ale nigdy nie zabierała do torebki, bo bała się, że porazi ją prąd. Mati chwycił to urządzenie i od razu poczuł się pewniej. Już miał skoczyć na ratunek tacie, gdy wtem jego umysł przestał trzepotać się w panice, a zaczął racjonalnie działać. Mati spojrzał na trzymanego w dłoni pilota od samochodu i nacisnął guzik antynapadowy od drogiego alarmu, na który też uparła się mama.

Potem wyskoczył z auta i popędził w stronę miejsca, gdzie zostawił tatę.

– Zaraz was załatwię! – wrzasnął, czym przestraszył jakieś panie pakujące zakupy do małego samochodziku.

Dobiegł na miejsce, ale nikogo tam nie było. Ani taty, ani samochodu z oprychami. Został tylko wózek pełen zakupów, z którego właśnie jakiś chłopak bezczelnie wyciągał colę.

– Spadaj! – ryknął na niego Mati, wznosząc w górę trzeszczący błękitną błyskawicą paralizator.

Chłopak odwrócił się i uciekł, ale butelki nie puścił.

Gdzie jest tata!?

– Tato! Tatooo! – rozpaczliwie wołał Mati.

Przechodzący obok ludzie zerkali zdziwieni na wrzeszczącego dziesięciolatka, nikt jednak nie podszedł i nie zapytał, o co chodzi. Wszyscy mieli swoje sprawy i kurczowo się ich trzymali.

– Taaatooo! Proszę! Gdzie jesteś!?

Mati usłyszał tupot nóg i się odwrócił. Od strony ich samochodu biegł tata.

– Mati! – Tata przypadł do niego, uścisnął go i zaraz wrzasnął: – Au! Hej! Ale wyłącz tę mamusiową elektrownię, okej?

– Tato… – Matiemu znów zbierało się na płacz, ale tym razem z ulgi, że wszystko się dobrze skończyło. – Tato, nie było cię, a ja cię chciałem ratować…

– A ja zobaczyłem pusty samochód i przestraszyłem się, że cię te durnie porwały… – Tata to obmacywał Matiego, to przytulał go z całej siły, to patrzył mu w oczy, potrząsając za ramiona. – Boże! Synu! Gdzieś ty był? Myślałem, że mi serce stanie… Synu, tak bardzo cię kocham, nie rób mi więcej takich numerów…

– Tato, ja też cię kocham. Musiałem po ciebie wrócić. Ratować! – Mati wtulił twarz w koszulę taty.

– Z tym elektrycznym paralitykiem? – zaśmiał się tata.

Obaj usiedli na betonie, obok wózka i sapali z przejęcia.

– Gdy odbiegłeś, zaczęliśmy się trochę szarpać, ale wtedy przypadkiem nadjechała straż miejska – opowiadał tata, głaszcząc Matiego po głowie. – Oni chyba nie chcieli zostać wylegitymowani, więc się zmyli i odjechali. A ja popędziłem do ciebie, tylko na początku pomyliły mi się kierunki…

– A ja znalazłem elektroparalityka i wezwałem pomoc guzikiem – pochwalił się Mati, podnosząc na palcu kluczyk z pilotem.

– Tak? O Jezu! To chyba właśnie przyjechali – jęknął tata, wskazując na żółte i czerwone odbłyski świateł w miejscu, gdzie stał ich samochód.

– Chodź, zanim zaczną nas szukać razem z policją – zaproponował ze śmiechem tata.

Ojciec i syn wstali, chwycili wózek i popchnęli go w kierunku auta.

– Wiesz co? Tak bardzo się o ciebie bałem. Myślałem, że sobie nie poradzisz, gdyby mi się coś stało. A teraz jestem dumny z ciebie. Z tego, jakim jesteś fantastycznym facetem – mówił tata.

– Ja z ciebie też! – powiedział Mati, ściskając dłonią przegub prawej ręki taty.

Gdy dobiegli do auta, zastali dwóch funkcjonariuszy firmy ochroniarskiej i załogę radiowozu straży miejskiej.

– To pan wzywał patrol? Pan zgłaszał napad alarmem napadowym? – spytał surowo jeden z ochroniarzy.

– Tak, to ja! – odrzekł tata. – Ale właściwie to nic takiego się nie stało.

– Skoro nic takiego, to dopiszemy to panu do rachunku. Do widzenia! – powiedział ponuro drugi ochroniarz.

– Do widzenia. Dziękuję za sprawną interwencję – pożegnał ich tata.

– Ale, zdaje się, ktoś tam się z panem szarpał przed sklepem, czy nie? – zapytał strażnik.

– No… tak. Chyba się trochę zgubiliśmy z synem, ale zaraz się odnaleźliśmy. Nic takiego się nie stało – dodał tata i objął Matiego.

– Kocham cię, tato – szepnął Mati.

Maria Ewa Letki

ODWAGA, czyli DŁUGI, CIEMNY KORYTARZ

Po przeprowadzce do nowego mieszkania moja siostra Małgosia poszła do nowego przedszkola, a ja do nowej szkoły, bo dawne przedszkole i szkoła były teraz za daleko.

Dostaliśmy osobne pokoje i bardzo chcieliśmy mieć wszystko oddzielne – książki, obrazki i układanki. Nawet kotów to dotyczyło – Małgosia wzięła sobie Melę, a ja Piotrusia. Był to podział na niby, bo zwierzaki bawiły się i spały, gdzie miały ochotę, i należały do wszystkich domowników – mamy i taty też.

– Wreszcie nie będziesz grzebała w moich rzeczach – rzuciłem do siostry.

Na drzwiach mojego pokoju wywiesiłem kartkę, na której narysowałem dwa razy przekreśloną podobiznę Małgosi.

– A ty nie będziesz mówił, że wszystko jest wspólne – odpowiedziała i przykleiła u siebie rysunek chłopca, przekreślony czterokrotnie.

Rodzice byli zachwyceni nowym miejscem, bo zawsze chcieli mieszkać w starym domu z duszą. I naprawdę wszystko było super, z wyjątkiem jednego: długiego, ciemnego korytarza.

Zaczyna się tuż za drzwiami i ciągnie aż do schodów. Jest w nim tylko jedna lampa, a w niej jedna żarówka. Korytarz tonie więc w mroku. Boję się ciemnych miejsc, ale nikomu o tym nie mówiłem ze strachu, że ktoś mógłby się ze mnie śmiać. To moja największa tajemnica. Nawet rodzicom jej nie zdradziłem, chociaż czasami wydaje mi się, że oni się trochę domyślają.

Wynoszenie śmieci zawsze należało do mnie. W starym bloku zsyp był na tym samym piętrze. Jednak w nowym mieszkaniu za każdym razem muszę przejść długim, ciemnym korytarzem, żeby znaleźć się na klatce schodowej i zejść na podwórko. Starałem się odwlec moment wyjścia, najbardziej jak tylko mogłem. Długo wkładałem buty, starannie je sznurowałem. Małgosia chyba wyczuła, że się boję, bo szepnęła:

– Jak chcesz, to pójdę z tobą.

– Pójdę sam! – Wzruszyłem ramionami i szybko złapałem worek ze śmieciami.

W korytarzu panował zwykły półmrok. I cisza. Żeby dodać sobie odwagi, zacząłem w duchu powtarzać, że nie ma się czego bać, bo w gruncie rzeczy

jest przecież fajnie. Jestem bardzo szczęśliwym chłopcem, który ma swój pokój, dobrze się uczy, jeździ na działkę do dziadków i ma miłą rodzinę, a rodzina jest przecież najważniejsza. Zaraz dotrę do schodów, a potem szybko na podwórko.

Nagle usłyszałem Jego głos:

– Wcale nie jest fajnie, a najważniejszy jestem JA.

Z trudem przełknąłem ślinę. Wydawało mi się, że głos dochodzi zza mijanych drzwi. Może zza tych z szybką na górze? Albo zza zielonych? A dlaczego nie zza brązowych? A może On po cichu, na palcach, skrada się za mną? Możliwe też, że przyczaił się za drzwiami, przed którymi leży wycieraczka z napisem „Witajcie". Specjalnie, dla niepoznaki, wybrał sobie taką właśnie wycieraczkę.

Wiedziałem, że nie rzuci się od razu. Najpierw będzie mnie uważnie obserwował przez szparę w drzwiach, a potem nagle… CAP!

– Umieram – jęknąłem, puszczając się biegiem.

Dotarłem do drzwi na końcu korytarza. Za nimi zaczynały się schody, które pokonałem dwoma skokami.

Ochłonąłem dopiero na podwórku. Zobaczyłem kilku chłopaków w moim wieku i natychmiast pomyślałem, że chciałbym się z nimi zaprzyjaźnić. Oni też mnie zauważyli i podeszli bliżej.

– Wprowadziłeś się do mieszkania po starej pani Reginie? – zapytał jeden z nich.

– Tak – odpowiedziałem. – A wy gdzie mieszkacie? – spytałem z nadzieją, że choć jeden mieszka na tym samym piętrze, co my.

– Po drugiej stronie ulicy, ale pies uciekł mi na wasze podwórko i właśnie go szukamy – wyjaśnił najniższy chłopak.

– Poszukam z wami! Tylko wyrzucę śmieci. – Miałem nadzieję zostać na podwórku na tyle długo, żeby zaniepokojony tata po mnie przyszedł. Wrzuciłem worek do pojemnika, a wtedy wyskoczył zza niego przestraszony hałasem tłusty pies.

– Brutek! – zawołał właściciel zwierzaka. – Ty świntuchu! Znowu buszujesz w śmietniku!

Chłopak wziął psa na smycz, razem z kolegami krzyknął do mnie „Do jutra" i po chwili zostałem sam. Postałem jeszcze trochę, aż w końcu wszedłem na klatkę schodową.

Droga powrotna trwała krócej. On musiał się trochę zagapić, bo nawet nie bałem się tak bardzo.

W mieszkaniu paliły się chyba wszystkie lampy, a mama i tata sprzątali i urządzali pokoje.

– Pomóżcie nam! – powiedzieli wesoło do Małgosi i do mnie.

Koty wskakiwały na meble i podróżowały w ten sposób, ostrząc sobie pazurki.

Pomyślałem wtedy, że zachowuję się dziecinnie i głupio. Jak można bać się korytarza, który prowadzi do takiego miłego i radosnego domu. Przecież to zwykły korytarz, nie ma w nim nic szczególnego. Postanowiłem, że nie będę już się bał.

To był bardzo miły wieczór. Razem zjedliśmy pyszną kolację, a potem długo rozmawialiśmy. Zupełnie o Nim zapomniałem.

Jednak On nie zapomniał o mnie i następnego dnia znów czekał, przyczajony za mijanymi drzwiami.

Wyjście z domu zawsze wyglądało tak samo. Najpierw obietnica, że nie będę się bał, a potem szalony bieg przez korytarz, mocno bijące serce i spocona głowa. Im szybciej uciekałem, tym szybciej On mnie gonił. I tak było codziennie.

Pewnego ranka wyszliśmy z domu wszyscy razem.

– Ja się niczego nie boję! – wołała Małgosia, biegnąc przodem.

– Nie ma takiego człowieka, który niczego się nie boi – powiedział tata i dotknął mojego ramienia.

Najpierw mieliśmy odprowadzić Małgosię. Szła żwawo, ale kiedy skręciliśmy w uliczkę, przy której stoi budynek przedszkola, zwolniła, a po chwili zatrzymała się i oznajmiła:

– Boli mnie gardło i mam chrypę – starała się mówić grubym głosem, ale jej nie wyszło. – Zarażę dzieci! – krzyknęła cieniutko. – Nie będą mnie lubiły!

– Jesteś zdrowa jak rybka – powiedział spokojnie tata, biorąc ją na ręce. – Nikogo nie zarazisz.

– No to ja się zarażę – płakała Małgosia. – Nie chcę tam iść.

Musiałem zostawić moją rodzinę, bo zrobiło się późno. Płacz siostry towarzyszył mi przez całą drogę do szkoły.

Zastanawiałem się, co On teraz robi. Może śpi, może gotuje sobie zupę z obierzyn ziemniaków i mrówek, które hoduje w szparze okna? Nie bałem się jednak, bo na szczęście nie mógł wyjść poza długi, ciemny korytarz. Był w nim uwięziony.

Przy kolacji rodzice rozmyślali, co zrobić, żeby Małgosia przestała obawiać się przedszkola.

– Nie boję się – stwierdziła moja siostra, wzruszając ramionami. – Przedszkole jest miłe, kolorowe, spotykam w nim dużo dzieci, z którymi mogę się przyjaźnić – recytowała z przymkniętymi oczami.

Tego wieczoru nie zależało nam już na tym, żeby wszystko mieć oddzielne, i postanowiliśmy spać w jednym pokoju.

– Powiedz, dlaczego boisz się przedszkola – poprosiłem, gdy tylko umościliśmy się w łóżkach. – Co strasznego może być w takim ładnym, zwykłym miejscu?

Małgosia milczała.

– Bo raz… nie mogłam trafić do ubikacji i… i… – wyszeptała wreszcie cichutko.

Wiedziałem, co to było za „i… i…", ponieważ pierwszego dnia mama przyniosła z przedszkola plastikowy woreczek, przez który przeświecały rajstopy i majtki Małgosi.

– Sławek, a co strasznego jest w tym korytarzu? – zapytała nagle, spoglądając na mnie uważnie.

A więc wiedziała! Najpierw postanowiłem udawać, że nie rozumiem, nie wiem, o co jej chodzi, i milczałem. W końcu zdobyłem się na odwagę i wyznałem:

– Tam jest On.

– Jaki on? – nie zrozumiała.

– No… On. Ktoś, kogo się boję.

Byłem bardzo zdenerwowany i czekałem, aż Małgosia wybuchnie śmiechem.

– A jak on wygląda? – zapytała szeptem.

– Nie wiem dokładnie. Czasami ma głowę okrągłą jak piłka i dwa wystające zęby, niekiedy jest wysoki, zwiewny, z długimi, cienkimi palcami. Dzisiaj był kudłaty i żeby mnie zobaczyć, musiałby łapami rozgarniać długą sierść, przysłaniającą mu oczy. Boję się, że któregoś dnia wyskoczy zza drzwi, które mijam…

– Przecież tam mieszkają zwykli ludzie – zawołała Małgosia. – Już ich poznałam. Za pierwszymi drzwiami mieszka pani, która ma dwie papugi, za drugimi bardzo ładna dziewczyna. Chciałabym tak wyglądać, kiedy będę duża. Dalej – wyliczała – starsi państwo, którzy niedługo wyjadą do Ameryki, w odwiedziny do swojej córki. Potem rodzina z dwoma synami grającymi w tenisa…

– Skąd to wszystko wiesz? – Byłem naprawdę zaskoczony. – Nie chodziłaś chyba od mieszkania do mieszkania i nie pytałaś.

– Chodziłam. Mówiłam, że jestem nową sąsiadką – powiedziała Małgosia – i jakoś zawsze tak się składało... No, może trochę pytałam. Ale o nas też dużo opowiadałam – przyznała się.

– To powiedz mi, jak taka odważna osoba, która potrafi zapukać do obcych mieszkań, boi się przedszkola!

– Boję się, że znów... znów... – szeptała Małgosia. – Wiem już, gdzie jest ubikacja, ale i tak się boję.

– Wiesz co? Narysujemy plan twojego przedszkola – zaproponowałem. – Jeszcze dziś.

Małgosia bardzo się ucieszyła. Wyskoczyliśmy z łóżek i zabraliśmy się do pracy. Rysowaliśmy wszystkimi kolorami flamastrów, a Małgosia podpowiadała, w którym miejscu jest szatnia, sala zabaw, a gdzie dzieci leżakują. Zaznaczyliśmy też korytarzyk prowadzący do toalety.

– Spać! – zawołała mama, zaglądając do pokoju. – Późno już.

– Rysujemy plan przedszkola – wyjaśniłem.

– Rozumiem... – Mama znacząco kiwnęła głową i zamknęła drzwi.

Małgosia długo oglądała mapę i w końcu schowała ją pod poduszkę.

– Wiesz, jedno mieszkanie jest bardzo tajemnicze – powiedziała nagle sennym głosem. – Ale tam jeszcze nie byłam. Przed drzwiami leży wycieraczka z napisem „Witajcie".

– Dlaczego uważasz, że jest tajemnicze? – zapytałem, przełykając ślinę.

– Bo przechodząc obok, bardzo często słyszę, że ktoś w nim śpiewa:

Ciamku, ciamku, mlasku, mlasku, nie mam pyszczków jedenastu,
ale mam dwa pyszczki małe, do ciamkania doskonałe.

Małgosia zasnęła, a ja jeszcze trochę leżałem i rozmyślałem o tajemniczym mieszkaniu.

Nazajutrz była sobota. Po śniadaniu postanowiliśmy pójść na koniec długiego, ciemnego korytarza. Zza drzwi z wycieraczką „Witajcie" dobiegała piosenka, o której moja siostra wspominała w nocy. Małgosia zastukała i po chwili drzwi się otworzyły. Stanęła w nich bardzo miła pani w wieku naszej mamy. Za nią skradało się dwoje małych, bardzo podobnych do siebie dzieci.

– Moje bliźniaki znów nie chcą jeść – westchnęła. – Może wejdziecie i mi pomożecie?

Weszliśmy do środka. Kobieta posadziła dzieci za stołem i zaczęła je karmić.

– Ciamku, ciamku, mlasku, mlasku… – podśpiewywała.

Bliźniaki gapiły się na nas z zainteresowaniem i pałaszowały śniadanie.

W poniedziałek wszyscy wyszliśmy z domu wcześnie rano – rodzice do pracy, ja do szkoły, a Małgosia do przedszkola.

– Masz plan? – zapytałem cicho.

Kiwnęła głową, pokazując zaciśniętą pięść z wystającym kawałkiem papieru. Była to kolorowa mapa, na której mały ludzik idzie do przedszkola. Rozbiera się w szatni, żegna z rodzicami i bratem i maszeruje do sali. Druga część planu przedstawiała ludzika w przedszkolu. Bardzo dobrze sobie radził – bawił się, rysował, jadł i śpiewał. W pewnej chwili zostawił dzieci i wąskim korytarzykiem powędrował do ubikacji. Na ostatnim rysunku siedzi na sedesie i uśmiecha się.

Małgosi już nigdy nie przytrafiło się to, co pierwszego dnia, a On zniknął na dobre, gdy tylko poznałem sąsiadów i dowiedziałem się, kto mieszka za drzwiami w naszym korytarzu.

Wtedy dopiero opowiedzieliśmy o wszystkim rodzicom.

– Cieszę się, że daliście sobie radę – powiedziała mama. – Szkoda tylko, że nic o tym nie mówiliście. Strach boi się rozmowy. Robi się mniejszy i mniejszy, aż w końcu znika.

Spojrzeliśmy na siebie z Małgosią. Przecież rozmawialiśmy – ona ze mną, a ja z nią!

Natalia Usenko

DOBROĆ, czyli OPOWIEŚĆ O MOCARZU MICHALE

Olka powoli szła parkową alejką i kopała kasztany. Dzień był piękny, zupełnie jakby było lato, a nie koniec września: na trawnikach bawiły się psy, a na placu zabaw – maluchy, i nawet ptaki świergotały radośnie. Wszyscy się cieszyli, tylko Olka nie mogła. A wszystko przez tę złość! Złość, która wypełniła ją w środku i syczała jak wściekła żmija. Obok przebiegły z chichotem jakieś dwie dziewczyny. Na widok Olki ucichły nagle, pewnie zdziwiła je jej zacięta, zła twarz i głowa wciągnięta w ramiona. Dziewczynka wbiła wzrok w ziemię i kopnęła kasztan z całej siły.

No, nieźle! Tylko tego brakowało, żeby ludzie się na nią gapili na ulicy! Na szczęście dom był tuż za rogiem. Olka zacisnęła usta, żeby się nie rozbeczeć, i wbiegła do bramy. Jeszcze winda (byle nie wsiadł nikt z sąsiadów i nie zaczął pytać, co się stało) i można się schować we własnym pokoju.

Ola otworzyła drzwi kluczem – już od roku miała własny, na wypadek gdyby mama zasiedziała się w pracy, a babcia wyszła gdzieś po zakupy – i z westchnieniem ulgi rzuciła plecak na podłogę.

W domu było cicho, tylko stęskniony doberman Ares przybiegł z gumową świnią w pysku i na widok dziewczynki zaczął skakać z radości.

– Odczep się! – burknęła Olka. – Zabierz ode mnie to świństwo! Ares zdziwił się i posmutniały klapnął na kocyk pod wieszakiem. Dziewczynka dała nura do swojego pokoju i już miała zatrzasnąć drzwi, kiedy na korytarzu znajomo zaszurały kapcie. Do pokoju zajrzał dziadek.

– O, jest nasza królewna! Czemu nie na akrobatyce, odwołali? A gdzie Michaś?

Olka już otworzyła usta, żeby powiedzieć, że chce zostać sama, że nie obchodzi jej, gdzie jest Michał i może sobie w ogóle nie wracać do domu, gdy nagle poczuła, że coś ją szczypie w nosie i podstępne łzy popłynęły po policzkach.

– Oho! – powiedział dziadek, przyglądając się jej uważnie. – Coś mi się zdaje, że jest o czym opowiadać, co?

– Wcale nie! – krzyknęła Olka ze złością i łzy pociekły jej również z nosa.

– No, jasne… – Dziadek spokojnie objął ją za ramiona i przycisnął do siebie. Sweter dziadka był bardzo stary. Pachniał gazetami, Aresem i klejem, którym dziadek kleił figurki wojowników samurajów. Zrobił dla nich nawet specjalną dioramę – taką malutką średniowieczną Japonię z zamkiem w górach, lasem i placem do walki. Olka płakała w dziadkowy sweter i złość wypływała z niej razem ze łzami, coraz wolniej i wolniej.

– Wiem, co zrobimy. – Dziadek klepnął wnuczkę po plecach. – Chodź, pójdziemy do kuchni i napijemy się mocnej, słodkiej herbaty.

– Nie lubię mocnej. Ani słodkiej! – zaprotestowała Ola, ale dziadek nie dał jej szans.

– Bez dyskusji! Moja mama, a twoja prababcia, zawsze powtarzała, że nie ma na świecie takich łez, których nie uleczy mocna, słodka herbata. Siadaj i pij!

Dziewczynka łykała ostrożnie gorący, paskudnie słodki napar i nawet nie zauważyła, kiedy słowa same zaczęły wylewać się z niej, jedno za drugim. O tym, że wszyscy mają normalnych braci, tylko ona musi mieć takiego dziwaka jak Michał! I że ten jej głupi brat znów dzisiaj zrobił numer i wszyscy o nim gadali, i że przez to dziewczyny się z niej śmiały. Bo chłopaki znów się przyczepiły do tego Dawida, co ciągle wszystko gubi i płacze, chociaż chodzi już do trzeciej klasy, i nic nie umie zrobić porządnie, i na dużej przerwie po WF-ie zabrali mu drugie śniadanie i rzucali tą śniadaniówką po całej szatni, a Dawid nic nie zrobił, tylko się mazał. A wtedy przyszedł Michał i kazał im odczepić się od Dawida, i oddać mu te kanapki, a Wojtek powiedział: „Tak? To chodź tu i je zabierz, jak jesteś taki mądry!", i Michał podszedł, a Wojtek i reszta chłopaków zaczęła się z nim bić, a Dawid nawet nie pomógł ani nikogo nie zawołał, tylko uciekł, bo on jest straszny mazgaj i tchórz. A Michał sam bił się z czterema chłopakami i jeden złapał jakiś but i w niego rzucił, a but uderzył Michała w twarz i Michał miał na policzku ślad podeszwy,

bo ten but był brudny. I wtedy zadzwonił dzwonek, przyszła ciocia woźna i zaczęła krzyczeć, i wszyscy od razu uciekli, tylko Michał został, i ciocia na niego nawrzeszczała, że jest łobuz i się bije, i że ona powie pani. A Michał nic nie powiedział, tylko zabrał śniadaniówkę i poszedł do klasy, z tym śladem buta na policzku. I oddał śniadaniówkę Dawidowi, a Dawid nawet nie podziękował, tylko wziął i szybko się odwrócił, bo on się wszystkiego boi albo wstydzi, w ogóle jakiś dziwny jest. A pani spytała, skąd Michał ma na twarzy ten ślad, ale on nic nie chciał powiedzieć, a Wojtek i reszta chłopaków udawali, że nic nie wiedzą i tylko się śmiali. A Olka była taka wściekła na Michała, bo znowu zrobił z siebie widowisko i wpakował się w głupią historię! I po co? Przecież on nawet nie lubi tego Dawida!

Dziadek słuchał uważnie, nie przerywając ani słowem, i tylko czasem kiwał głową.

– Aha… – mruknął, kiedy Olka skończyła opowiadać i umilkła. – I co, wstydziłaś się brata?

Ola przytaknęła. Było jej strasznie żal siebie. Co za niesprawiedliwość! No, czym ona sobie zasłużyła na coś takiego?

– A ten, jak mu tam, Dawid? – pytał dalej dziadek. – Chłopcy często go zaczepiają? Biją go?

– Nie, raczej nie biją – skrzywiła się. – Tak tylko, czasem zabiorą mu śniadanie albo zimą raz po lekcjach zerwali mu z głowy czapkę i podawali do siebie, a potem wrzucili wysoko na drzewo. Albo czasem go popychają. A on zawsze się maże albo ucieka.

– A inni? Bronią go?

– Raczej nie. Bo Dawida nikt nie lubi, dziadku, to jest kompletny kosmita! No, ja kiedyś powiedziałam Wojtkowi i tym trzem głąbom, co za nim wszę-

dzie chodzą i się go słuchają, żeby dali spokój. Ale oni już tacy są. Nikt na nich nie zwraca uwagi, tylko Michał zawsze się pakuje w jakieś kłopoty!

– Taaa... – mruknął dziadek. – I uważasz, że Michał źle zrobił, tak?

– Pewnie, że tak! – fuknęła Olka, bardzo pokrzywdzona. – On zawsze robi coś głupiego! A ta historia z kotem, w zeszłym roku? Zobaczył na daszku nad peronem przy stacji małego kota, co się strasznie rzucał i miauczał, i był taki przestraszony, że chciał zeskoczyć na peron. Nikt nic nie zrobił, tylko wszyscy się gapili. A Michał wlazł na murek, z murka na daszek i złapał kociaka. A ten kot był taki dziki, że jak już byli na ziemi, to podrapał Michałowi całą rękę, ugryzł go i uciekł. I znów wszyscy się śmiali. A Michał potem jeździł z mamą do specjalnej przychodni, żeby sprawdzić, czy w tej okolicy nie było przypadków wścieklizny. I tak miał szczęście, że skończyło się na obandażowanej ręce. Albo ten jego przyjaciel, Jasiek. Jak coś chce od Michała, to przychodzi i Michał zawsze mu pomaga, oddaje mu różne rzeczy, pomaga w lekcjach i w ogóle. A jak Jasiek zachoruje, to przynosi mu zeszyty, dzwoni, opowiada, co było w szkole. Ale kiedy Michał czegoś potrzebuje, to Jasiek nigdy mu nie pomoże, a czasem tygodniami łazi z innymi chłopakami i zachowuje się, jakby w ogóle Michała nie znał. A potem znów wraca, a Michał mu wybacza i nadal jest jego kolegą.

Olka prychnęła oburzona, a dziadek przyglądał jej się uważnie.

– I jak myślisz, Oleńko, czemu on to robi? – spytał.

– Skąd mam wiedzieć? – powiedziała ponuro. – Może jest głupi. Albo... jak to się nazywa? O, naiwny!

– No, nie wiem… – uśmiechnął się dziadek. Patrzył na drzewa za oknem i mieszał powoli herbatę. – Przecież on dobrze zna Jaśka, prawda? Kolegują się chyba od przedszkola. Wie, jakie z niego ziółko, ale wybacza mu. Nie jest naiwny. Ani głupi. Ma po prostu wielkie serce. Zdradzę ci tajemnicę, Ola. Twój brat to prawdziwy mocarz.

– Kto?! – Olka o mało nie zakrztusiła się herbatą.

– Mocarz – powtórzył dziadek. – Rycerz. Samuraj. Taki jak w książce albo w filmie. Słyszałaś o nich, prawda?

Dziewczynka pokręciła głową z niedowierzaniem. Pewnie, że słyszała o rycerzach, ale oni mieli zbroje, jeździli na koniach, walczyli i bronili słabszych. No tak… Ale to przecież nie to samo!

– Widzisz, moja droga, trzeba wielkiej siły i wielkiej odwagi, żeby być dobrym. To najtrudniejsza z dróg. Łatwo jest być tchórzem. Łatwo jest się odwrócić i nie pomóc. Łatwo jest się schować, żeby nikt na ciebie nie patrzył i się nie śmiał. Ale wybaczyć, obronić, zrobić coś dla innych, chociaż ci inni nie zawsze podziękują – o, to już co innego! To nie film o Robin Hoodzie, moja kochana, życie to nie bajka! A Michaś dobrze wie, że ludzie czy koty nie zawsze są mili, ale i tak pomaga. Gdyby nie było na świecie takich rycerzy jak on,

zapanowałoby zło i obojętność. Nikt nie broniłby słabszych, nie dzielił się, nie wybaczał, nie myślał o innych. Nikt nie przeciwstawiłby się takim Wojtkom, żeby nie oberwać butem. Prawda?

Olka siedziała oszołomiona. Wszystko to wprost nie mieściło jej się w głowie!

– Ale Michałowi nikt nie pomaga! I on jest sam, i nikt go nie podziwia!

Dziadek westchnął.

– Rycerzy zawsze było niewielu, Oleńko – powiedział. – A w naszych czasach jest ich jeszcze mniej. I to nieprawda, że nikt Michała nie podziwia. Ja go podziwiam. I babcia. I twoi rodzice. A tak szczerze mówiąc, to chyba podziwiają go nawet Jasiek i Dawid, chociaż się do tego nie przyznają. I ty chyba też powinnaś, bo jest za co. Żeby pokonać własny strach, nie bać się śmieszności, bardziej myśleć o innych niż o sobie, do tego trzeba być prawdziwym mocarzem.

– Ale... – wyjąkała Olka. – Ale dziadku! Przecież tacy mocarze nic z tego nie mają! Nawet nikt im nie podziękuje! A ten kot to Michała pogryzł i podrapał!

– Podrapał, bo się bał – powiedział dziadek łagodnie. – Trudno, tak bywa. Byłoby lepiej, żeby głuptas skoczył pod pociąg? Michaś uratował mu życie. Sens dobroci nie polega na nagrodach i wdzięczności. Widzisz, Oleńko, nagrodą za dobroć jest to, że świat staje się trochę lepszy. Wiesz? Każdy, kto robi coś dobrego, jest jak świeczka w ciemności – odpędza mrok i strach, daje komuś nadzieję i dokoła robi się jaśniej. A kto sieje dobro, tego też spotykają w życiu różne dobre rzeczy.

Olka westchnęła. Mocarz Michał... Trudno jej było wyobrazić sobie kogoś, kto mniej wyglądałby na rycerza – taki chudy, piegowaty, z łagodnym uśmiechem. I włosy śmiesznie mu sterczą nad czołem. I zawsze daje Olce wygrywać w chińczyka i w makao, i tak rzadko się gniewa. I powtarza to swoje „Oj tam, oj tam”...

– Która godzina? – spytała nagle, zrywając się od stołu.

– Piąta – odpowiedział dziadek. – A czemu pytasz?

– Bo za pół godziny Michał wróci z akrobatyki – oświadczyła Ola, myszkując w szafkach kuchennych. – I może zrobilibyśmy dla niego muffinki z czekoladą. Co, dziadziu?

– Ja też? – przeraził się dziadek. – Ale ja… Ja nigdy…

– No, chyba nie stchórzysz? – spytała Olka i mrugnęła do niego. – Rycerzowi przyda się coś dobrego na podwieczorek, miał dzisiaj ciężki dzień, naprawiał świat, prawda? Zresztą my też jesteśmy mocarzami.

Dziadek przytaknął i oboje z Olką zaczęli się śmiać. Słysząc ten chichot, doberman Ares przybiegł do kuchni i delikatnie położył na stole swoją gumową świnię.

– O nie! – zawołała Olka, całując psa w zimny nos. – Muffinki będą z czekoladą, a nie ze świnią. Ale jak już je upieczemy, to się z tobą pobawię.

I pomyślała sobie, że naprawianie świata to w sumie miła rzecz. A że ktoś się śmieje z mocarzy albo nie rozumie, to już jego strata.

Paweł Beręsewicz

SZACUNEK, czyli UDKO KURCZAKA

W szkolnej stołówce, przy okienku do wydawania posiłków posłusznie czekała długa kolejka. Co dość niezwykłe w przypadku zgłodniałych dziecięcych tłumków, ta akurat gromadka stała prawie w zupełnej ciszy. A nie były to jakieś szczególnie małomówne dzieci. Nie chodziło o głęboką zadumę nad matematycznym zadaniem. Ani pogoda, ani bieg zdarzeń, ani nadzwyczajny nawał pracy nie tłumaczył tego dziwnego spokoju. Jedynym powodem była pani Krysia-Kucharka – królowa kuchni, władczyni stołówki i autorka słynnej zasady: „W czasie jedzenia dziobem kłapiemy tylko w celach spożywczych".

Najczęściej wystarczyło jedno mordercze spojrzenie pani Krysi, żeby rozbrykanego pierwszaka zmienić w słup soli i wybić mu z głowy pogaduszki nad zupą. Czasem spojrzeniu towarzyszył groźny gest uniesionej chochli, a w najtrudniejszych przypadkach straszliwe trzaśnięcie o blat mokrej ściery. Nie – królestwo pani Krysi pełne było dźwięków, ale na pewno nie dziecięcego szczebiotu.

– Plask! – Na brzegu talerza wylądował pagórek tłuczonych ziemniaków.

– Chlup! – Po przeciwnej stronie lądowała kupka zielonej kapusty.

W ten sposób powstawała biegnąca przez środek dolinka, w której pani Druga-Kucharka czule umieszczała schabowy kotlecik.

– Dziękuję! – grzecznie mruczało dziecko na czele kolejki, odchodząc z talerzem w stronę wolnego stolika.

Ziemniaki, kapusta, kotlet, dziękuję. Ziemniaki, kapusta, kotlet, dziękuję. Tak brzmiał odwieczny stołówkowy rytm, którego, jak się zdawało, nic nie było w stanie zakłócić. Ziemniaki, kapusta, kotlet, dziękuję. Tym razem od okienka odszedł Jaś z drugiej klasy. Ziemniaki, kapusta, kotlet, dziękuję. Zosia z IIIa ruszyła w kąt sali. Ziemniaki, kapusta, ko…

– Stój! – Nagły krzyk pani Krysi-Kucharki odbił się echem jak w pustym kościele. – Jemu nie dawaj! To Czeczeniec!

Królowa kuchni miała rację. Szamid rzeczywiście był Czeczeńcem. Jak to z Czeczeńcami bywa, urodził się w Czeczenii – malutkim kraju w wysokich

górach Kaukazu, oddzielających Europę od Azji.

Pewnego dnia wybuchła tam straszna wojna. Po podwórku Szamida jeździły dymiące czołgi, a nad jego domem latały wojskowe samoloty. Potem Szamid nie miał już domu. Pierwszą noc spędził przykucnięty w ruinach, pod kawałkiem sufitu, który chronił go przed deszczem i pociskami. Nie powinno się strzelać przy dzieciach, ale wojna to ważna sprawa.

Po kilku dniach rodzinę Szamida przygarnęli krewni, którzy mieli jeszcze dom, ale bomby zniszczyły elektrownię, wodociąg i rury z gazem. Nocami było zimno, ciemno i głodno, a w ciągu dnia wychodziło się na dwór, żeby stanąć w kolejce po wodę i chleb. Szamid był bardzo sprytny – raz nawet przyniósł dwa bochenki!

Chłopiec słyszał, że są na świecie miejsca, w których nie toczy się wojna – nie słychać huku wystrzałów i brzęku tłuczonego szkła, z kranu leci woda, a dzieci częściej się śmieją, niż płaczą. Dlatego wcale się nie dziwił, kiedy któregoś dnia jego mama powiedziała:

– Jutro wyjeżdżamy.

– Dokąd? – zapytał z czystej ciekawości, ale odpowiedziało mu tylko wzruszenie ramion.

Zwykle przed długą podróżą ludzie pakują walizki, oglądają mapy, a potem jadą taksówką na dworzec albo na lotnisko. Podróż Szamida wyglądała

zupełnie inaczej. Późno w nocy z ciemnego bloku wyszły, rozglądając się niepewnie, trzy niewielkie postaci. Idąca przodem kobieta, mama Szamida, dźwigała dwie wypchane płócienne torby. Za nią szła jego mała siostra, Tamila, a na końcu sam Szamid, zgięty pod ciężarem pękatego tobołka. Trzy bezszelestne cienie przemknęły chyłkiem między dziurawymi ścianami domów w stronę wyludnionego przedmieścia, które kiedyś było dzielnicą przemysłową. Na wielkim, pustym placu przed ruinami fabryki stała samotna ciężarówka. Mama Szamida nieśmiało podeszła do szoferki i zapukała cicho w blaszane drzwi. Otworzył nieznajomy mężczyzna w wełnianej czapce i mruknął coś, czego Szamid nie dosłyszał. W ciemnościach rozległ się szelest banknotów wpychanych do kieszeni kierowcy. Mężczyzna wyskoczył z szoferki i otworzył tylne drzwi ogromnej naczepy.

– Wsiadajcie – burknął i pomógł im wspiąć się na pakę. – Tylko żeby mi tu było cicho.

– A dokąd nas zawieziecie? – pokornie spytała mama Szamida.

– W bezpieczne miejsce – padła sucha odpowiedź.

We wnętrzu ciężarówki panowały takie ciemności, że szary prostokąt nocy w otwartych drzwiach naczepy wydawał się swojski i przyjazny. Wkrótce i on zaczął znikać, w miarę jak nieznajomy mężczyzna zastawiał wejście pudłami z jakimś towarem. W końcu głuchy łomot zamykanych drzwi odciął ostatnie namiastki światła i Szamid poczuł się, jakby był zupełnie sam w czarnym jak smoła wszechświecie.

– Mamo, jesteś tam? – zapytał, a ciemność odpowiedziała:

– Tu jestem, synku.

Zrobił ostrożny krok w stronę tego głosu i uderzył kolanem o kant jakiejś skrzyni czy pudła. Wyczuł w czerni pustą przestrzeń i jeszcze raz spróbował się przesunąć. Coś dużego i żywego uciekło mu spod stóp.

– Uważaj! – warknął nieznany głos.

Najwyraźniej nie tylko oni jechali do miejsca, w którym nie było wojny.

Sporo czasu minęło, zanim odnalazł w ciemności kształt mamy i siostry, a potem dla całej trójki wyszukał mały, niezamieszkany skrawek podłogi. Tymczasem czarny wszechświat zatrząsł się od włączonego silnika, szarpnął gwałtownie i ruszył na zachód, na wschód lub jeszcze gdzieś indziej. Szamid wiedział, że podróż potrwa bardzo długo. Gdyby lecieli samolotem, na miejsce dotarliby pewnie w dwie albo trzy godziny, ale samoloty były dla ważnych ludzi. On i jego rodzina musieli jechać ciężarówką, razem z pudłami pełnymi arbuzów, czapek, a może śrubokrętów. Czasem podskakiwali na wertepach, potem sunęli gładko po lepszej drodze, a niekiedy nieruchomieli na postoju, który mógł być zwykłym odpoczynkiem kierowcy, ale też przejściem granicznym albo wojskową kontrolą. Na zewnątrz mijały pewnie jasne, słoneczne dni, a oni wieźli ze sobą swoją czeczeńską noc.

Razem z Szamidem i jego rodziną jechał jeszcze głos nieznanej kobiety uciszający popłakujące niemowlę, jakiś chrapliwy męski bas, kilka dziecięcych chichotów i marudzeń, a do tego niezliczona ilość szmerów, pochrapywań, stukań, szurań i westchnień.

Szamid słyszał, jak siedząca obok niego mama raz po raz mruczy pod nosem słowa modlitwy. Czeczeńcy to muzułmanie. Modlą się do Boga, którego nazywają Allachem. Wierzą, że zesłał on na ziemię proroka Mahometa i przez niego objawił ludziom swoją wolę. Zgodnie z nią modlą się pięć razy dziennie, zachowują wyznaczony post, pomagają ubogim, nie jedzą wieprzowiny, nie piją alkoholu i przynajmniej raz w życiu starają się odwiedzić święte miasto Proroka – Mekkę.

„Czy Allach widzi nas w tej ciężarówce, skoro nawet my sami siebie nie widzimy? – zastanawiał się Szamid. – Czy słyszy prośby mamy o jak najszybszy koniec podróży, o to, żeby wcześniej nie zabrakło jedzenia i powietrza, a w miejscu, do którego dojedziemy, nie było wojny?”.

Na zegarku w starej komórce Szamida minęły cztery dni, zanim padła bateria. Potem jechali jeszcze bardzo długo, aż wreszcie ciężarówka stanęła. Wszyscy wstrzymali oddech, nasłuchując odgłosów z zewnątrz…

Już wcześniej nieraz się zatrzymywali, ale nigdy jeszcze nie stali tak długo. Czyżby natrafili na niespodziewaną przeszkodę? Może mają awarię? A co, jeśli to kontrola? Siedzieli zesztywniali, bojąc się, że jakiś nieostrożny ruch zdradzi ich obecność, a wtedy zostaną złapani i będą musieli wracać tam, skąd od tak dawna uciekali.

Minęła długa czarna godzina, po niej kilka czy może kilkanaście następnych, aż wreszcie ktoś nagle zerwał się w ciemnościach.

– Ja już nie mogę! – krzyknął kobiecy głos i czyjeś drobne pięści załomotały o blaszane ściany ciężarówki.

Kilka innych głosów dołączyło do tego rozpaczliwego wołania, a naczepa zatrzęsła się od uderzeń. Przez pewien czas z zewnątrz nie odpowiadał żaden dźwięk, jednak po chwili ktoś w ciemności nakazał ciszę i znów zaczęto nasłuchiwać. Po drugiej stronie blaszanych ścian wyraźnie kręcili się jacyś ludzie. Słychać było warkot silnika, trzaśnięcie drzwi, przytłumione rozmowy… Nagle od strony wejścia rozległ się zgrzyt żelaznej sztaby i do wnętrza ciężarówki chlusnęły strumienie oślepiającego światła. Szamid zobaczył, że czyjeś ręce rozmontowują przegrodę z kartonowych pudeł, a potem w jasnym prostokącie wejścia pojawiły się ciemne sylwetki w nieznanych mundurach. Chłopiec usłyszał ostry męski głos mówiący coś w obcym języku i ciche pytanie mamy:

– Przepraszam, czy jest tu wojna?

Kazano wszystkim wysiąść. Po raz pierwszy od kilku dni Szamid stanął na twardej, nieruchomej ziemi. Z głodu, zdenerwowania i nadmiaru świeżego powietrza zakręciło mu się w głowie. Usiadł na trawie i oparty o pień starej brzozy ze zdumieniem patrzył na wystraszone, zgarbione cienie wynurzające się z mroków ciężarówki. Nie mógł uwierzyć, że zmieściło się tam aż tyle osób. Potem chłopca badał lekarz, ktoś podał mu koc, podsunął jedzenie, policjant zadawał niezrozumiałe pytania, a młoda czeczeńska tłumaczka powiedziała, że przyjechali do kraju o nazwie Polska i że nie ma w nim wojny.

Szamida i jego rodzinę przewieziono najpierw do nieczynnego o tej porze roku domu wczasowego nad dużym jeziorem, a po tygodniu przeniesiono do specjalnego ośrodka dla czeczeńskich uchodźców. Mieszkali tam w niewielkich pokojach ze wspólną łazienką w końcu korytarza i jedną kuchnią na kilka rodzin. Przez pierwsze miesiące w obszernej, jasnej jadalni dzieciaki z ośrodka uczyły się polskiego, a potem przyszedł wrzesień i trzeba było iść do szkoły.

Pierwszego dnia w nowej klasie nikomu nie jest łatwo – a już na pewno nie chłopcu z dalekiego kraju, któremu dawny świat zawalił się na głowę, a tego, do którego uciekł, bał się, nie znał i nie rozumiał. W kolejce do okienka w szkolnej stołówce Szamid stał zgarbiony z opuszczoną głową, jakby starał się, żeby go było jak najmniej.

– Stój! Jemu nie dawaj! To Czeczeniec! – Od tych słów pani Krysi-Kucharki skurczył się jeszcze bardziej.

Jadalnia zastygła w ciszy i bezruchu, a wszystkie oczy zwróciły się ku okienku. Szamid pokornie się ukłonił i już miał odejść, kiedy surowy, władczy głos osadził go w miejscu.

– A ty dokąd? – spytała królowa kuchni.

Nieśmiało podniósł głowę i ku swojemu zdumieniu w oczach tej przerażającej kobiety zobaczył coś na kształt uśmiechu.

– Nie jesteś głodny? – spytała jakby łagodniej niż zwykle.

– Jestem.

Pani Krysia-Kucharka zniknęła w przepastnych czeluściach kuchni. Chwilę później wróciła, niosąc niewielki blaszany garnuszek.

– No to masz – powiedziała, nakładając na talerz Szamida duszone udko kurczaka. – Ale pamiętaj, że dziobem kłapiemy tylko w celach spożywczych!

Pani Druga-Kucharka ze zdumienia omal nie upuściła kotleta.

– No co? – mruknęła władczyni stołówki, zawstydzona tą chwilą słabości. – Oni nie jedzą wieprzowiny.

– Dlaczego? – wykrztusiła jej koleżanka.

Pani Krysia-Kucharka wzruszyła ramionami i powiedziała:

– Nie mam pojęcia, ale to podobno dla nich ważne.

Szamid szedł między stolikami, niosąc kurze udko jak na aksamitnej poduszce. Prowadziły go zaciekawione spojrzenia, w których wyczuł także odrobinę uznania. Słyszał, jak dziewczynka, która stała za nim w kolejce, mówi:

– Proszę pani, ja też bym wolała kurczaka.

Głos pani Krysi odzyskał już swoje normalne brzmienie:

– Patrzcie ją, jaka ważna! – huknęło na całą stołówkę. – Kurczaka by wolała! A może jeszcze podać pani hrabinie na złotym półmisku?!

Jakiś sympatyczny okularnik, którego Szamid zapamiętał z porannych lekcji, pokazał mu puste miejsce przy swoim stoliku.

– Cześć, jestem Janek – szepnął, kiedy siedzieli już obok siebie. – Daleko ta twoja Czeczenia.

– Oj, daleko! – westchnął Szamid i spojrzał w stronę okienka, w którym pani Krysia-Kucharka dowodziła operacją wydawania obiadu.

Pomyślał sobie, że chyba jeszcze nikt go tak nie uszanował jak ta groźna kobieta duszonym udkiem kurczaka.

Roksana Jędrzejewska-Wróbel

MĄDROŚĆ, czyli O ZAMIENIANIU KWAŚNEJ CYTRYNY W SŁODKĄ LEMONIADĘ

Laura ma dziewięć lat, mamę, tatę i kota Bazyla. Tata Laury pracuje w firmie reklamowej. Ma teczkę i wizytówki. Mama Laury pracuje w sklepie z ubraniami i ma mnóstwo klientek. Kot Bazyl nigdzie nie pracuje i raczej nie zamierza. Wizytówek nie posiada, podobnie jak teczki. Klienci go nie interesują. Całe dnie spędza na kanapie albo na parapecie – to zależy, gdzie akurat padają promienie słońca. Laura trochę mu tego zazdrości. Najbardziej rano, kiedy musi wstać do szkoły. Oczywiście Laura, a nie Bazyl, bo Bazyl do szkoły się nie wybiera.

– Nic nie wiesz, Bazyl, ani o tabliczce mnożenia, ani o głoskowaniu. Jak ty sobie poradzisz w życiu? – pyta go czasem Laura, ale on się nie przejmuje, wręcz przeciwnie, robi taką minę, jakby mówił: „Już ja tam swoje wiem i żadna szkoła mi niepotrzebna".

Laura też ma czasem ochotę tak powiedzieć, najczęściej na matematyce. Ale nie mówi. I na wszelki wypadek do szkoły chodzi, chociaż nie wszystko jej się tam podoba.

Za to droga do szkoły jest zawsze ciekawa. I zawsze inna, chociaż niby ciągle taka sama. No a już zupełnie najfajniejsza jest droga ze szkoły, bo wtedy nie trzeba się spieszyć, tylko można się wlec jak żółw i się przyglądać, i co chwila przystawać. A to Laura lubi najbardziej. Więc się przygląda. Drzewom, ludziom i wystawom – najczęściej tym w przejściu podziemnym niedaleko domu, gdzie sklepiki wyglądają jak domki dla lalek.

Tym przejściem Laura chodzi codziennie, więc wszystkie dobrze zna: „Obcasik" z butami, „Zgrabną Nogę" ze skarpetkami i rajstopami, „Kotki Dwa" z pościelą, piżamami i koszulami nocnymi. Ale najbardziej lubi jeden sklep, który właściwie sklepem nie jest. No bo sklep to miejsce, gdzie się różne rzeczy sprzedaje, a tam nie ma nic do kupienia. Za to zawsze jest bałagan – na podłodze leży pełno pociętych kawałków materiału i nitek. No i przede wszystkim w normalnych sklepach jest lada, za którą stoi pani albo pan, miło się uśmiecha, przekłada rzeczy z miejsca na miejsce i czeka na klientów. Laura wie, bo jej mama jest taką panią. A tutaj na środku zamiast lady stoi

maszyna do szycia, za którą siedzi starsza pani uczesana w śmieszny koczek. Wygląda trochę jak mała dziewczynka, tylko włosy ma całkiem siwe. Wcale się nie uśmiecha, a na dodatek ciągle jest zajęta. No i w normalnych sklepach jest wystawa, na której pokazują, co mają najładniejszego. A tutaj nie ma żadnej wystawy. Ta siwa pani sama jest wystawą. Tylko że jej wcale nie zależy, żeby kogoś do czegoś zachęcać. I w ogóle jej nie obchodzi, czy ktoś się jej przygląda. Po prostu sobie jest, i już. Naokoło niej leżą materiały, pudełka z kolorowymi nićmi i słoiki – takie po dżemach – pełne guzików, haftek i zatrzasków, a nad głową dyndają przyczepione do sznurka różne zamki błyskawiczne, które wyglądają zupełnie jak firanka. Obok stoi deska do prasowania, a na niej żelazko – takie metalowe, jak z muzeum. Napis nad drzwiami też jest jak z muzeum. Na białej tabliczce proste litery: „Dobra Krawcowa". I nic więcej. Żadnej reklamy, że najtaniej, najlepiej, najszybciej, albo chociaż „promocja".

Mimo to, a może właśnie dlatego, Laura lubiła stać przed „Dobrą Krawcową" i patrzeć, jak siwa pani wielkimi nożyczkami tnie materiał, nawleka kolorowe nici na cienkie igiełki albo prasuje coś tym dziwnym żelazkiem.

„To trochę jak teatr" – pomyślała kiedyś Laura, wpatrując się w siwą panią, która akurat przyszywała do białej bluzki biały guzik. I była przy tym tak skupiona, jakby robiła najważniejszą rzecz na świecie. W przejściu podziemnym panował tego dnia zwykły ruch. Ludzie pędzili – każdy w swoją stronę – kupując jednocześnie gazety, bilety i pokrzykując do komórek albo zestawów głośnomówiących przyczepionych do ucha. Naokoło mieszały się ze sobą, jak w wielkim mikserze, melodyjki różnych telefonów, zgrzyt tramwajów i głosy ludzi. Jedni rozdawali ulotki, inni wyrzucali je do kosza. I wszyscy się spieszyli. Nie bardzo wiadomo do czego, ale na pewno do czegoś bardzo ważnego. No bo do nieważnego to przecież nie warto. Tylko pani za szybą, pochylona nad białą bluzką, nigdzie nie pędziła. Ona przyszywała guzik. „Nie, to nie jest jak teatr. W teatrze się udaje, a ona jest prawdziwa. Dziwne miejsce" – pomyślała znowu Laura.

– Dziwne miejsce – usłyszała nagle za plecami męski głos. Obok przeszli szybko dwaj panowie w krawatach. Oni też patrzyli na panią za szybą.

– Przecież to się chyba w ogóle nie opłaca. – Wzruszył ramionami pierwszy.

– Tak, kompletnie nieekonomiczne i zupełnie niewydajne. – Pokiwał głową drugi i obaj zniknęli za rogiem.

Laura została i patrzyła, jak pani przyszywa następny guzik. I jeszcze następny, i następny. Czas jakby się zatrzymał. Była tylko Laura, pani za szybą i białe guziki. Obok świat pędził i hałasował, ale i tak guziki przyszywane były w swoim tempie – ani wolniej, ani szybciej. Pani odcinała nitkę, zawiązywała supełek, przyszywała guzik, znowu zawiązywała supełek, znowu od-

cinała nitkę i znowu zawiązywała supełek. Czasem kończyła się jej nitka. Wtedy nawlekała nową, zawiązywała supełek i przyszywała. I tak w kółko. W końcu, kiedy wszystkie guziki były na swoim miejscu, pani podniosła głowę i spojrzała przez szybę. Prosto na Laurę. Nie wyglądała na zaskoczoną. Tak jakby cały czas wiedziała, że Laura tam stoi i patrzy. Za to Laura się zdziwiła. Tak bardzo, że aż odskoczyła od wystawy – prosto pod nogi jakiejś dziewczyny ze słuchawkami na uszach. Dziewczyna tak się spieszyła, że nawet Laury nie zauważyła. Poprawiła tylko słuchawki i popędziła dalej. A Laura się przewróciła i spadł jej tornister. Ktoś na niego nadepnął. Ktoś złapał Laurę pod pachy i odstawił na bok, żeby nie przeszkadzała, jak jakiś pakunek. Ktoś odkopnął tornister na bok. Laura się popłakała.

– Kiepska sprawa, tak się ciągle spieszyć. Można się potknąć o swoje życie i nawet go nie zauważyć – usłyszała tuż za sobą.

Odwróciła się i zobaczyła panią zza szyby – po raz pierwszy bez szyby, za to z tornistrem Laury pod pachą. Tornister miał urwany pasek. Laura rozpłakała się jeszcze bardziej.

– Popłacz sobie, to zawsze dobrze robi na oczy. A ja w tym czasie zobaczę, co się da zrobić z tym paskiem – powiedziała pani i wzięła Laurę za rękę.

Miała miękką, mocną dłoń i nie wiadomo kiedy Laura znalazła się po drugiej stronie szyby. W środku było cicho i ciepło, a pędzący, hałaśliwy świat podziemnego tunelu wyglądał z tej strony jak obraz w telewizorze z wyłączonym dźwiękiem. Trochę śmiesznie, a trochę głupio.

– Jak masz na imię? – zapytała siwa pani.

– Laura – odpowiedziała Laura.

– A ja Zofia. – Siwa pani uśmiechnęła się i zaczęła szukać nici w pudełku.

Dopiero teraz Laura zobaczyła, jaka bardzo pani Zofia była stara. Naprawdę bardzo. Drobne zmarszczki układały się w dziwny wzór, tak że jej twarz wyglądała jak popękana porcelanowa filiżanka. Do tego okazało się, że dobra krawcowa ma garb. Z daleka zupełnie nie było tego widać, zasłaniały go szeroka bluzka i szal na ramionach. Z bliska był duży i przypominał plecak. „Musi być ciężko z takim garbem. Wszędzie trzeba go ze sobą nosić, nawet w nocy" – pomyślała Laura.

– Nie jest aż tak źle – powiedziała pani Zofia.

„Co to? Czy ona czyta w myślach?" – przestraszyła się Laura, ale okazało się, że pani Zofia miała na myśli plecak, a nie swój garb. Wybrała już grubą nitkę i teraz dopasowywała do niej równie grubą igłę. Laura odetchnęła z ulgą.

– Czy to jest sklep? – zapytała.

– Nie, to zakład krawiecki. Naprawiam, przerabiam…

– Po co naprawiać, jak można kupić nowe? – zdziwiła się Laura.

– A po co kupować nowe, skoro można naprawić? – roześmiała się pani Zofia i zabrała się do zszywania plecaka.

Laura znowu się zdziwiła. Kiedy była po drugiej stronie szyby, nigdy nie widziała, żeby pani Zofia się uśmiechała. A teraz, do Laury – co chwilę. I kiedy się uśmiechała, to śmiały się nie tylko usta, ale też oczy i włosy, i ręce. I nawet garb przycupnięty pod szalem.

– Ale ja nie tylko naprawiam, potrafię też szyć: sukienki, bluzki, płaszcze, wszystko. Żebyś sobie nie myślała – dodała pani Zofia, odcinając nitkę.

– A po co szyć, skoro można kupić? – zapytała znowu Laura.

– A co ty myślisz, moja kochana. Że ubrania do sklepu spadają z nieba? Przecież je też ktoś musi uszyć.

– No tak, rzeczywiście – zawstydziła się Laura.

Dziwne, że o tym nie pomyślała. Patrząc na ubrania wiszące na wieszakach w butiku mamy, nigdy nie zastanawiała się, skąd się tam wzięły. Po prostu były, i już.

– Czy pani też szyje do sklepów?

– Nie, bo do sklepów trzeba szyć dużo i szybko. A ja szyję mało i wolno – uśmiechnęła się pani Zofia. – Poza tym ja szyję na miarę.

– Na miarę? – nie zrozumiała Laura.

– W sklepach są ubrania w gotowych rozmiarach i trzeba się do nich dopasować. A ja dopasowuję ubranie do osoby i na nikim innym nie leży tak dobrze.

– To znaczy, że każdy z nas jest inny? – zdziwiła się znowu Laura.

– Oczywiście! I całe szczęście! Jakbyśmy byli wszyscy tacy sami, toby było dopiero smutne. I nudne! – powiedziała pani Zofia i podała Laurze tornister. Pasek był przyszyty mocno i porządnie. Nitka różniła się trochę od tej ze sklepu, ale to Laurze nie przeszkadzało, wręcz przeciwnie – była pamiątką z wizyty. Podziękowała.

– Nie ma za co. I odwiedź mnie jeszcze kiedyś – powiedziała pani Zofia.

Czyżby rzeczywiście potrafiła czytać w myślach?

Od tego czasu Laura często zachodziła po szkole do „Dobrej Krawcowej". Najbardziej lubiła te dni, kiedy pani Zofia miała klientkę. Klientki przychodziły rzadko, za to zostawały długo. Najpierw piły herbatę, którą pani Zofia robiła w różowym czajniku, i opowiadały. O tym, jaką by chciały mieć sukienkę albo płaszcz, ale nie tylko. Te rozmowy trochę Laurę nudziły, ale wiedziała, że warto poczekać.

Po herbacie pani Zofia obmierzała klientki zielonym centymetrem z góry na dół i z dołu do góry, i jeszcze z boku na bok i naokoło. Niektóre panie było bardzo grube i wtedy Laura pomagała pani Zofii trzymać centymetr. Niektóre były bardzo wysokie i wtedy pani Zofia wchodziła na stołeczek. Po wzięciu miary zapisywała cyferki w specjalnym notesie, a jak już wszystko było zapisane, klientka się żegnała, a pani Zofia zabierała się do pracy.

Najpierw brała materiał i rysowała na nim różne dziwne kształty, które wycinała wielkimi nożycami i spinała ze sobą mnóstwem kolorowych szpilek. A potem, nie wiadomo kiedy, te kawałki zamieniały się w prawdziwe ubranie, które pani Zofia upinała na manekinie. Tylko że to był manekin inny niż te, które znała Laura. W sklepie mamy Laury i w innych sklepach manekiny wyglądały zupełnie jak ludzie i wyginały się w dziwnych pozach na wystawach. Manekin pani Zofii nie mógł przybrać żadnej pozy, bo nie miał ani rąk, ani nóg. Nie miał nawet głowy! Ubrany nie wyglądał lepiej, bo prawdę mówiąc, ubrania, które szyła pani Zofia, nie były szczególnie piękne.

„Jakaś taka nijaka" – pomyślała Laura, kiedy pierwszy raz zobaczyła gotową sukienkę na dziwacznym manekinie. Ale wszystko się zmieniło, kiedy po sukienkę przyszła pani, na którą była szyta.

Włożyła ją i wtedy… To było jak najprawdziwsze czary! Pani od sukienki była dość gruba, właściwie to prawie kwadratowa. Ale gdy włożyła sukienkę od pani Zofii, całkiem się zmieniła. Nagle Laura zauważyła, że gruba pani jest nie tylko gruba, ale że ma duże oczy i ładne włosy. I że ślicznie się uśmiecha. I tak było za każdym razem. Ludzie w ubraniach pani Zofii rozkwitali jak kwiaty. Laurze nie dawało to spokoju. Może pani Zofia była czarownicą? Ale jeśli tak, to bardzo dobrą czarownicą. Ludzie wychodzili od niej zadowoleni, inaczej niż klientki mamy, które przeglądając się w lustrze, z żalem mówiły: „Na manekinie ta sukienka lepiej się układała".

– Jak pani to robi? – zapytała Laura któregoś dnia.

– Co takiego? – zdziwiła się pani Zofia.

– No… Jak zamienia pani brzydkich ludzi w ładnych?

– Ja nikogo nie zamieniam! – roześmiała się pani Zofia. – Po prostu szyję tak, żeby ukryć wady.

– I to wystarczy?

– No, nie całkiem. Trzeba jeszcze podkreślić zalety.

– A co, jak ktoś nie ma żadnych zalet? – drążyła dalej Laura.

– A to niemożliwe. – Pani Zofia stanowczo pokręciła głową, jednocześnie przegryzając nitkę od fastrygi. – Każdy ma jakieś zalety. Trzeba tylko umieć to zobaczyć. I wiedzieć, że jak się dostaje od życia cytryny, to zamiast narzekać, trzeba z nich zrobić lemoniadę.

– Jaką lemoniadę? Przecież pani jest krawcową – zdziwiła się Laura, ale z panią Zofią już tak było: czasem mówiła dziwne rzeczy.

Tak jak wtedy, kiedy Laura zapytała o pieniądze. Pani Zofia nie miała ich chyba zbyt wiele. Nie miała żadnej reklamy ani ładnej wystawy, jak sklepy obok. Gdyby miała, na pewno mogłaby zarabiać więcej. Tata Laury często mówił, że reklama jest dźwignią handlu.

– Czy to się pani opłaca? To szycie? – zapytała kiedyś, kiedy pani Zofia pomagała jej uszyć piłkę dla Bazyla.

– O tak! Jestem bardzo szczęśliwa – odpowiedziała pani Zofia.

A Laura nie miała odwagi powiedzieć, że przecież wcale nie o to pytała, więc zajęła się przyszywaniem dzwonka do piłeczki. Ale ta odpowiedź bardzo jej się spodobała. Więc kiedy w szkole pani poprosiła, żeby narysować portret najmądrzejszej osoby, jaką się zna, Laura nie zastanawiała się długo. I tak portret pani Zofii zawisł w klasie tuż obok portretu wujka jednego kolegi – profesora bardzo nadzwyczajnego, który przeczytał sto tysięcy książek.

– A ta twoja pani Zofia, to ile książek przeczytała? – zapytał kolega.

– Nie wiem – odpowiedziała Laura. – Ale za to umie zrobić słodką lemoniadę z najkwaśniejszej cytryny!

POLECAMY:

CENTRUM EDUKACJI DZIECIĘCEJ
od 6 lat
Marcin Przewoźniak
Poradnik małego SKAUTA
Wszystko, co musisz wiedzieć, by przetrwać!

CENTRUM EDUKACJI DZIECIĘCEJ
od 6 lat
Marcin Przewoźniak
Praktyczny poradnik UCZNIA
Twoja szkoła bez tajemnic

CENTRUM EDUKACJI DZIECIĘCEJ
od 6 lat
Beata i Paweł Horosiewiczowie
Mały FOTOGRAF
Kurs fotografii dla dzieci

CENTRUM EDUKACJI DZIECIĘCEJ
od 6 lat
Mały INŻYNIER
Elżbieta Bednarek
Krzysztof Nowopolski
Nauka i zabawa

CENTRUM EDUKACJI DZIECIĘCEJ
od 6 lat
Marcin Przewoźniak
Poradnik małego PATRIOTY

CENTRUM EDUKACJI DZIECIĘCEJ
od 6 lat
Marcin Przewoźniak
Poradnik małego KIBICA PIŁKI NOŻNEJ

Marcin Przewoźniak
Przewodnik małego TURYSTY
Wesoły autobus, czyli podróże po Polsce
WIELICZKA
ŁYSA GÓRA
CENTRUM EDUKACJI DZIECIĘCEJ